OSMOSE

DU MÊME AUTEUR

BELA BARTOK, biographie, Mazarine, 1981 ; édition revue et corrigée, Stock, 1993.

LE CHARME NOIR, roman, Gallimard, 1983.

LES NOCES BARBARES, roman, Gallimard, 1985, Prix Goncourt.

LA FEMME SOUS L'HORIZON, roman, Julliard, 1988.

LE MAÎTRE DES CHIMÈRES, roman, Julliard, 1990.

PRENDS GARDE AU LOUP, roman, Julliard, 1992.

LE POISSON QUI RENIFLE, livre pour enfants, Nathan, 1994.

LE PINGOUIN MÉGAMÉLOMANE, livre pour enfants, Nathan, 1994.

LE SOLEIL SE LÈVE À L'OUEST, photographies de Jean-Marc Durou, beau livre, Laffont, 1994.

DISPARUE DANS LA NUIT, roman, Grasset, 1994.

NOIR ANIMAL, roman, Christian de Bartillat, 1995.

LA FORCE D'AIMER, roman, Grasset, 1996.

HORIZONS, photographies de Philip Plisson, beau livre, Le Chêne, 1996.

TRENTE JOURS À TUER, roman collectif, France Loisirs, 1998.

HAPPY BIRTHDAY SARA, roman, Grasset, 1998.

TOI, L'HORIZON, beau livre, Cercle d'art, 1999.

YANN QUEFFÉLEC

OSMOSE

roman

ROBERT LAFFONT

ISBN 2-221-08823-9

Pour Élisabeth
Neven
et Léonore

Il avait assez d'expérience pour comprendre que les souffrances déposent peu à peu au fond de l'âme des sédiments de deuil dont l'accumulation quotidienne est en définitive la cause de la mort.

Giuseppe Tomasi di Lampedusa

I

Le cargo *Désertas* se traînait vers l'horizon. Pierre somnolait à l'avant, assis sur le treuil. Il aurait bien voulu s'allonger, mais la tôle était brûlante. Elle tiédissait dans la soirée, elle était gelée la nuit. Dès qu'il bougeait, les menottes tintaient. Il avait une main libre, l'autre reliée par un bracelet d'inox à la chaîne d'ancre. Elle vibrait, le bracelet vibrait, c'était douloureux. Pourvu qu'ils ne jettent pas l'ancre. Il se retournait et les apercevait à la timonerie. Le flic en salopette moulante ne l'oubliait pas. Matraque à la taille il lui portait à manger, le faisait boire et le conduisait aux vécés. Il lui collait une cigarette au bec et Pierre la fumait sans discuter, appuyé à la rambarde. On arrive quand ? Bientôt, répondait le flic.

Ça faisait trois jours qu'on arrivait bientôt, trois jours qu'on était partis, mais peut-être dix ou vingt. Pierre perdait la tête et le temps ressemblait à l'horizon, jamais loin, jamais là, bientôt. Il n'était sûr de rien, excepté la peur. Peur d'être en vie, peur de mourir, peur de son ombre sur le métal, peur du bracelet d'inox verrouillé sur le maillon noir. Du regard il suivait la chaîne tendue jusqu'au trou béant par où l'on voyait l'eau bleue. C'était si facile de l'éliminer. Qui s'en inquiéterait ? On attendait que le soleil l'ait à moitié fondu sur la tôle et qu'il fût déjà mourant pour jeter l'ancre. On lui mentait, les juges comme les flics. On n'allait pas à Désertas, l'îlot pénitentiaire au large. Baratin les dix ans d'internement, baratin l'espoir de s'amender et de retrouver un jour une liberté presque intacte. Il voyait sa main prisonnière et savait ce qui l'attendait : le vacarme d'une masse d'acier coulant à pic avec lui.

L'ombre du flic recouvrit la sienne. Il ne l'avait pas entendu s'approcher.

– On arrive.

Parmi les nuages à l'horizon, il y en avait peut-être un plus foncé, plus bas sur l'eau, peut-être une île.

Un genou sur la tôle, le flic déverrouilla le bracelet d'inox attaché au maillon noir et se l'accrocha au poignet.

– Alors, petite gueule, on a buté qui ?

– Personne.

– Ta copine ?

– Non.

– Ta mère ?

– Elle est morte.

– On serait bien du genre à buter sa mère, pas vrai ?

Le sourire aux lèvres il se mit à gifler Pierre par jeu, des claques molles qui finissaient par faire mal.

– C'est toi qui l'as butée !

– Non.

Le flic poursuivait Pierre autour du treuil, le plaquait contre la rambarde, et reliés par la chaînette ils ressemblaient à deux boxeurs manchots, payés l'un pour se protéger, l'autre pour distribuer des baffes qui s'oubliaient parfois dans un vrai coup de poing. Pierre avait beau secouer la tête, les beignes lui tombaient sur le nez, les tempes, il voyait jaillir des flammèches, il n'était sûr de rien excepté la peur.

– Avoue.

Tout menotté qu'il était, il voulut s'échapper, se laissa tomber en disant non, c'est pas vrai, les vibrations du moteur se transmettaient à la tôle, à ses os meurtris, les coups pleuvaient.

– C'est pas méchant ! lui chuchotait le flic à l'oreille, et il riait en lui soulevant la tête par les cheveux. T'as buté qui ?

– Personne.

– Ton père ?

– J'en ai pas.

II

Ce soir ou jamais, se répétait Marc en étreignant son volant. Il roulait un peu vite, admettons, et d'une manière qui pouvait nuire gravement à la santé. Il était impatient d'arriver chez lui, mais prudence. On ne meurt pas une veille de mariage. Il s'était mis sur son trente et un, refait une jeunesse. Elle avait dit : « N'oublie pas l'œillet à la boutonnière, le pschitt sous les bras... » Elle n'avait rien dit, elle s'en foutait. Cette fille ne pouvait pas le blairer. Il la voulait, elle non, l'épouser n'y changerait rien. Elle renaissait quand il partait, s'éteignait à son retour. Elle vivait à côté de lui sans le voir, elle déplorait qu'il n'en fît pas autant. Il était amoureux, pauvre idiot, amououououreux!... Elle disait : « Regarde ailleurs, Marc » et il regardait ailleurs à s'en choper un torticolis, là où elle était sûre qu'il n'irait pas lui piquer des reflets grimpant sur ses mollets nus, il n'aurait pas la moindre poussière dans l'œil. Chambre à part, nuits à part. Elle en haut, lui en bas. Pire que d'être seul : n'être pas désiré. Et pire encore : désirer dans son coin, la tête sous l'oreiller. Il l'épousait pour se la taper, en boucle et jour et nuit. Quitte à se faire gruger. Quitte à divorcer dans six mois. Entre temps, hue cocotte...

Il baissa la vitre et respira l'air glacial, fort de tout ce froid qu'il volait à la nuit. Dieu qu'il aimait cette campagne obscure et cette rivière où il ne se passait rien, ce minable bled dans cette immense vallée. Il aimait plus encore Nelly, d'un amour à vif, étranglé. Ce soir elle allait raquer, lui payer cet amour qu'elle humiliait depuis des mois, aux crochets duquel ils vivaient grassement, elle et son horrible gosse. Deux sangsues. Terminé, les enfants. Donnant donnant. J'épouse maman : j'enfile maman. Dans moins d'une minute il verrait la maison parmi les tilleuls avec la cuisine allumée. Il aurait l'impression d'arriver chez une petite fée du logis, popote et bien mouillée sous la blouse. Il tomberait sur une Nelly sarcastique et renfrognée, beaucoup trop confiante et maîtresse du jeu, il entendrait chouiner Pierrot, le fiston bingo ! le fils-à-tout-le-monde et même à lui, Marc, assez jobard pour le reconnaître et lui donner son nom. Chaque nuit, montant faire un tour là-haut, il trouvait Nelly affalée en travers du lit, les baskets aux pieds, le gamin dans les bras. Mère et fils dormaient enlacés. Tout à l'heure il ne redescendrait pas, il prendrait son dû. Il n'aurait aucune pitié.

Combien de fois avait-il déclaré la même chose, à la sortie du même tournant ? Des milliers. Retours foireux, nuits sans sommeil, petits matins où il écoutait craquer les lames du plancher au-dessus de sa tête, les robinets ululer et la brosse à dents roucouler dans la bouche de Nelly. Ce soir c'était différent. Il arrivait en tenue de mariage, et qui dit mariage dit consommation. Il s'était fait raser, couper les cheveux et manucurer, il s'était sapé : veste noire à boutons dorés, cravate et long manteau gris perle, il avait même acheté le cintre d'acajou. À se demander si Nelly le reconnaîtrait. Il lirait l'effroi dans ses yeux, il entendrait son cœur battre à travers sa douce peau nacrée.

Nous y voilà, soupira-t-il en voyant le fil de l'eau briller entre les saules, et, par-delà, l'ombre fermée des collines.

Il coupa le moteur et les phares. Il descendit en roue libre jusqu'au portail. L'asphalte luisait comme du poil de chat. Garé sous le mûrier, il ôta ses gants et se caressa le menton. Il avait changé d'aspect, ni plus ni moins. Comme elle. Il revoyait la Nelly du premier soir, la bonne fille aux pommettes écarlates, un grand tee-shirt Fruit of the Loom au ras des fesses. La nunuche intégrale. Après leur dispute elle avait disparu durant des mois pour revenir un jour métamorphosée, les yeux plus verts que jamais, belle à faire peur. Une autre femme. Il rouvrit les yeux. Pas le moment d'avoir l'air d'un gamin que le regard d'une femme brise en mille morceaux, pas le moment d'hésiter. Il attrapa son bouquet de fleurs.

Dehors, il pensa que la température déclinait à vue d'œil. Cette petite pluie ne demandait qu'à se faire neige et verglas. Demain matin, pelotonné sous la couette, il découvrirait la vallée comme un enfant son premier Noël. Elle serait blanche et tapissée d'oiseaux morts. Il pourrait flemmarder au lit tant qu'il voudrait. Ce serait enfin le plus beau jour de sa vie.

Ignorant le portail, il enjamba le muret du jardin. C'était silencieux à part la rivière invisible dans les fourrés. La maison n'était qu'à quelques mètres, silhouette massive où se découpait en bas la fenêtre éclairée. Elle aurait pu allumer dehors, pensa-t-il. Ça se fait quand on invite à dîner son futur mari. À moins qu'elle n'ait changé d'avis. À moins qu'elle n'ait filé avec Pierre, pas si bête, laissant juste un mot sous l'aimant du frigo. *Adieu.*

Il monterait le col du manteau sur ses joues et il irait se coucher avec les oiseaux, les flocons.

Tandis qu'il s'approchait de la fenêtre une ombre humaine en tomba, s'étirant démesurément sur l'herbe. Au même instant, derrière le carreau, Nelly parut se tourner vers lui. Les yeux baissés elle émin-çait du cerfeuil avec des ciseaux trop grands pour sa main. Petit corps, va, belette... Beau spectacle celui d'une épouse aux casseroles attendant l'homme de sa vie. D'accord, il y avait sur la table ce grand bol, à moitié plein d'un truc vert, le dîner écolo du fiston. Il a le droit de bouffer, quand même, et d'avoir ses rots, de merdoyer librement son coulis d'épinards. Il n'en dormait que mieux, sans réveiller les morts ni les quéquettes frustrées à l'étage en dessous. Un soir que Nelly faisait manger l'enfant et que Pierre s'éternisait sur la tétine, il s'était moqué d'eux : « Ça y va, dis donc, il aime ça, est-ce que le père aussi ?... » Heureusement qu'elle n'avait pas entendu la fin. Heureusement qu'il n'avait pas sorti le fond de sa pensée : tu lui donnes le biberon pour ne pas lui donner le sein devant moi. Tu as bien trop peur que je me jette dessus. Chiche qu'il le faisait. Madame était délicate, elle n'aimait pas les types comme lui, les renifleurs, les mange tout.

La marmite était sur le feu. Qu'est-ce qu'elle pouvait bien cuisiner ? Il n'avait qu'à gratter au carreau, lui demander. Il n'en fit rien, il resta près de la fenêtre un moment, son bouquet de fleurs dans les bras. La pluie dévalait son crâne ratiboisé. Soudain Nelly leva la tête et regarda la nuit sans le voir. Il trouva qu'elle avait les yeux bien doux et n'en fut pas heureux. Une douceur née loin d'ici, gardée secrète, une caresse intime. Elle irradiait en lui par hasard. Elle cherchait au bout du monde une harmonie perdue, les yeux d'un homme qui la laisserait fondre en lui jusqu'au sang. Par-dessus les kilomètres ils avaient le même souvenir, la même excitation, au même instant. Il faillit casser la vitre.

Quand il arriva par la cuisine elle était toujours devant l'évier, de profil. Elle ne put réprimer un soubresaut de carpe à sa vue.

– Tu n'as pas rentré ta moto, Nelly, et il pleut.

Elle avait une tomate à la main, lui son bouquet d'œillets trempé. Elle ne le giflait pas, mais son iris flambait de rage. Il était bouleversé lui aussi. Du regard il palpait sa poitrine et ses jambes où le caleçon noir adhérait comme une peau, ses baskets argentées à lacets rouges. « Pas mal, souffla-t-il, pas mal du tout. » Et pas mal non plus le rouge à lèvres. Une faveur inattendue. S'il déglutissait elle s'en rendrait compte, elle se méfierait. Il se racla la gorge et dit :

– Tiens...

Sur un vague merci, Nelly mit les fleurs dans l'évier. De son nouvel aspect, pas un mot.

– Comment tu me trouves ?

Elle retrouvait sa mine fière.

– Pittoresque. C'est quoi, là ? dit-elle, un doigt sur la joue.

– Une petite croûte... J'ai fait brûler ma verrue. Et mate un peu ça.

Il sourit en poussant les lèvres en avant pour exhiber ses gencives.

– Qu'est-ce que t'en dis ?

– De quoi ?

– Je me suis fait détartrer.

Quand il se passait la langue sur les dents, il avait l'impression qu'on les avait remplacées par des olives.

– Elles sont belles ?

– Très belles.

– Moins que les tiennes.

Sans répondre elle souleva le couvercle de la marmite, libérant une exquise odeur qui semblait l'âme de cette maison. On était bien. Le couvert était mis, les deux bougeoirs de cuivre brûlaient sur le paréo qui servait de nappe. On était peut-être heureux, qui sait. On serait bientôt fixé.

– À table, Marc. Grenouilles au beurre rouge.

– J'adore, surtout les cuisses, dit-il en se frottant les mains.

Il n'y avait pas de grenouilles en avril, sauf en solde au rayon du surgelé. Elles arrivaient d'Asie, recel de gangs pharmaceutiques internationaux. Il fallait avoir la foi pour tortorer ces embryons fourgués au marché noir.

– Tu ne remarques rien ?

– Je remarque un beau manteau, une belle cravate, une belle coupe de cheveux, il faut que je m'habitue.

Il se pinça la lèvre supérieure à deux doigts et la tira en avant.

– La moustache, Nelly, tu as oublié la moustache. J'ai failli te la rapporter, en souvenir, mais je n'étais pas sûr de mon effet. Vous êtes un peu fâchés, les souvenirs et toi.

– Ça dépend. Tu comptes dîner dans cette tenue ?

Il ôta son manteau, le coucha soigneusement plié sur la banquette et vint s'asseoir à table. Il était en veste noire, les trois boutons dorés attachés.

Elle apporta la marmite et servit Marc. De la sauce gicla sur lui. Elle ne s'excusa pas.

– Et ça ? demanda-t-il en désignant la bouteille qui rafraîchissait dans un seau de métal entre les bougeoirs.

– De l'ouzo.

Il ne touchait plus à l'alcool depuis six ans. Un vœu. Ce n'était sûrement pas ce soir qu'il allait repiquer. Il avait mieux à faire.

– C'est quoi, cette musique de barjes ?

– Les Delfonics.

– Et Pierre ?

– Il dort.

– Ce gosse est né pour dormir, dit-il, les yeux levés au plafond.

Il en était à sa troisième assiette et les ossements s'empilaient. Pas trop cuits, baptisés cuisses de grenouille, les embryons n'avaient pas mauvais goût. On s'en fichait plein les doigts. La sauce était loupée. Comment faisait Nelly pour ne pas se tacher ? Sur les ongles elle avait un vernis mauve et sur les avant-bras une crème pailletée. C'était lui qui payait les paillettes, les vernis, les crèmes, les caleçons. C'était lui qu'elle rembarrait comme un satyre à grosse langue émergeant des fourrés.

– Parfait ton plat. Tu n'as pas lésiné sur la fécule.

– Il n'y en a pas.

– Alors sur la maïzena ?

– Non plus. C'est une recette à toi. Une simple réduction. Tu ne te rappelles pas ?

Il but un verre d'eau. Ce n'était pas de l'eau.

– J'avais dit : pas d'alcool.

– Pour trinquer.

– À quoi ?

– À ton fils.

– Tu t'emmerdes vraiment pas !

Il rit jaune et but une gorgée d'ouzo. La dernière. L'alcool, cette lave, il l'avait en horreur. Il s'était guéri tout seul après qu'elle l'eut quitté. Et maintenant elle voulait s'assurer qu'elle pouvait l'épouser sans danger, remonter dans son lit, faire miroiter ses lèvres sans qu'il ait à cœur de les déchirer. Petit corps, belette, pour qui me prends-tu ? Il leva machinalement son verre et regarda Nelly sourire à travers le cristal. Il vit ses dents, la chair de ses lèvres, il faillit l'implorer. Avançant la main sur la nappe il lui toucha l'avant-bras, une caresse de voleur qui la fit bondir de sa chaise.

– Quoi ! dit-il vexé.

– Ça donne la chair de poule.

– À moi aussi, je ne m'en plains pas.

Elle avait une drôle d'expression chavirée. Soit elle avait peur, mais de qui ? soit elle était bourrée. Est-ce qu'elle allait lui révéler ce soir l'identité du père de son gosse ? Il ne lui conseillait pas. Un autre jour, volontiers, quand elle aurait essuyé son rouge à lèvres et qu'il serait à même de lui river son clou. Soit c'était beaucoup plus intéressant. Elle cherchait à cacher son trouble. Avec ses grands airs, la gamine avait chaud aux fesses.

– Trinquons, dit-elle.

– On l'a déjà fait.

– C'est ce que tu crois, marmonna-t-elle.

Elle remplit son verre à déborder. Je suis en train de boire, se dit-il à moitié rassuré, mais cette voix n'était déjà plus la sienne. Il attrapa la bouteille et resservit Nelly, se resservit. C'est bizarre, un vœu. Ça meurt, comme un flocon sur le doigt. Au début c'est inoffensif et les dieux ne se vengent pas. Ils se moquent de vous. Qu'avait-il demandé ? Le retour de Nelly. Elle était là depuis six ans. Demain ils seraient mari et femme. Et tout à l'heure amants, bon gré mal gré. Il la ferait jouir, bon gré mal gré. Il avait la vie devant lui quand il aimait Nelly. Quand il ne l'aimait pas il était mort. Il était mort depuis six ans. À ta santé, petit corps. Les dieux l'avaient bien couillonné !

– La dernière fois que tu as mangé des grenouilles, Marc, c'était quand ?

Elle n'était plus à table, elle tournaillait là-bas près du buffet, c'était épuisant.

– Rassieds-toi, j'ai à te parler.

– Alors, c'était quand ?

Des questions, maintenant. Tout ce qu'il détestait. À partir de trois, il se sentait bombardé. À quatre, il perdait la mémoire. À dix, il s'endormait à poings fermés et mieux valait ne pas le réveiller.

– Aucune idée. Je ne note pas sur un carnet les jours où je mange des grenouilles.

– Tu devrais ! Tu devrais également défaire l'un de ces boutons, tu vas les arracher.

– Les trois si tu veux, dit-il en ouvrant sa veste. À toi, belette, dézippe-nous un peu tout ça, pense à la nuit de noces...

– Réponds d'abord.

Elle commençait à le gaver. Chipoti chipota. C'était bien Nelly. Cheveux coupés en quatre et puis recoupés. Ce besoin d'ergoter avant d'aller au pieu. Elle couchait à bout d'arguments. Une fois sur le dos, on ne la tenait plus. Le bon vieux temps.

– J'en sais rien et je m'en fous.

– Tu t'en fous ?

– Je ne te pompe pas l'air avec ta dernière bouillabaisse.

– Un ton plus bas, Marc. Tu cries quand tu mens. Et puis essuie-toi la bouche.

C'est elle qui crie. Elle s'est rapprochée de la table, l'air pas commode, elle reste debout.

– T'as oublié, c'est ça ? Tu vis une ardoise dans une main, une éponge dans l'autre. Elle est toujours nickel, ton ardoise.

Il la regardait par petits coups d'œil critiques, les yeux, le cou, les seins moulés par le jersey gris à petits boutons, les jambes.

– Tu serais parfaite à la télé. Peut-être un petit effort sur le décolleté.

– Toi, tu es parfait nulle part. T'as trouvé ?

Elle était souriante et méchante, il flairait un piège. Il vida son verre d'ouzo dans la marmite et but la moitié d'une carafe d'eau.

– C'est quoi ce plan ?

– Je te mets sur la voie. On vivait un grand amour.

– Si on vivait un grand amour, j'avais mieux à faire que de m'intéresser aux grenouilles.

– Et ça, ça ne te dit rien ?

Elle saisit la bouteille d'ouzo par le col, la brisa sur le bord de la table et lui agita sous le nez.

– T'es dingue ! fit-il avec un mouvement de recul. Viens sur mes genoux.

– Et ça ?

Lâchant la bouteille, elle plongea la main dans la marmite et lui balança sur la veste une poignée de grenouilles. Il rit comme si l'on s'amusait bien. Heureusement qu'il avait bu. Il prit une paire de cuisses avec ostentation et les écarta lentement, comme au jeu du cric ou crac. C'était excitant. Cric : ce soir, crac : jamais.

– Et toi, Nelly, ça ne te rappelle rien ? Imagine-la vivante, cette petite bête, en train d'enlever son caleçon, elle ressemble à qui ? T'as vu cette souplesse ?

Il sépara les deux cuisses et voulut la prendre à témoin, mais il ne la vit pas. Elle était à la patère, elle se dépêchait d'enfiler son blouson de cuir fourré, pas gênée, il l'avait payé une fortune, il ne le prêtait pas.

– Qu'est-ce que tu fous ?

Elle était sanglée jusqu'au menton, elle partait sans un mot. Sa fiancée.

– Attends, dit-il en se levant. Où tu vas ?

Elle n'était plus là. La porte était grande ouverte. Il voyait un trou noir rayé de pluie. Si vite qu'il bondit, il arriva trop tard au portail. Le feu rouge de la moto s'éloignait dans la nuit.

Température extérieure : 3 °C. Moral : 0. Les cadrans verts luisaient. Cent kilomètres-heure, cent vingt. Il doublait en cornant les poids lourds illuminés. Il se faisait saucer au passage et il cornait en se rabattant. Pas de Nelly. À combien pouvait-elle rouler sur sa moto pourrie ? Mise en scène, la soirée. Vengeance de femme. Elle ne l'abandonnerait pas comme ça. Ils ne s'abandonneraient ni l'un ni l'autre. Demain ils se diraient oui, comme prévu. Elle avait voulu ce mariage, elle l'aurait. Il la traînerait à la mairie. Il jurait en conduisant. Dans sa jeunesse, il avait confiance, il était né pour avoir cent ans, pour rester fort et droit. Dans sa jeunesse, les filles étaient des grenouilles, elles défilaient. Dans sa jeunesse Nelly n'existait pas.

Fenêtre ouverte il étouffait et grelottait en même temps, se prenait les flocons en pleine figure et plissait les paupières. Au bout des phares les oiseaux, l'horizon bouché, les camions, les souvenirs. Il se les rappelait tous. Il avait engrangé rancune et soupçons jamais classés. Il pouvait revivre chaque dispute où la jalousie l'avait fauché. Leur grand amour, disait Nelly, leur bel et grand amour, si grand qu'elle était partie faire un gosse ailleurs, si beau qu'elle y retournait, mais où ? Avec qui ? Il tapa du front sur le volant. La dernière fois qu'il avait mangé des grenouilles ? Comme s'il y était. Hier, avant-hier, ce soir, il en mangeait tous les jours à tourner de l'œil. Une recette familiale, le beurre rouge, une simple réduction de bourgogne aux échalotes, on presse le beurre entre ses doigts, ça chatouille et ça ne s'oublie pas. Il y a des souvenirs qui vous font la peau.

Trois cibistes lui barraient la route, trois gros culs. Un quatrième arrivait en mugissant derrière lui. « Allez-y, criait Marc, pliez-moi, pliez-le, mon 4 × 4 à pare-chocs intégral. Cric : je meurs, crac : je la tue. » Il repéra la sortie vers le col des Limites, et, quittant la voie expresse, il se retrouva dans la campagne. Il franchit le pont sur la Dive et dépassa la centrale, gros pâté blanchâtre au pied des collines, allongeant dans l'eau miroitante un reflet pointillé de feux rouges.

Après la zone industrielle, il aborda la colline et la route grimpa. Dès les premiers lacets la neige se fit épaisse et la chaussée disparut. La seule lumière était celle des phares à travers les flocons. À moins qu'elle n'eût pris elle aussi l'embranchement du col, il pouvait dire adieu à Nelly. Il n'y avait aucun espoir de passer là-haut. À la rigueur il arriverait à temps pour ramasser dans la neige une grenouille transie, les cuisses raides, ayant besoin d'un massage cardiaque. Ton petit corps. Nelly. Il donna un coup de volant et l'embardée faillit l'envoyer contre la roche. Moins une, le ravin. On n'y voyait que dalle. La route fuyait livide entre les phares, elle zigzaguait. « À ramasser à la petite cuillère », murmura-t-il en allumant la radio. Il bâillait, les yeux douloureux. Évidemment qu'elle l'avait fait boire, évidemment qu'elle l'avait mis hors d'état de la prendre en chasse. Évidemment qu'elle avait tout calculé. En apparence il l'avait dans l'os, mais, contrairement à Nelly, il croyait dur comme fer aux imprévus. C'était la seule justice qu'il prenait au sérieux. Il secoua la tête et ferma l'œil gauche, une technique pour ne pas s'endormir au volant. La pensée change, l'esprit reste en éveil. Il se vit les ciseaux de cuisine à la main et ferma l'œil droit. Il avait toujours les ciseaux. Nelly lui passait des billets de banque et il les émincait dans une casserole où bouillonnait une sauce rouge. Il changea d'œil. Il avait toujours les ciseaux. Il ne rêvait pas : il y avait un homme derrière elle. Ils s'embrassaient et, le bras levé, Nelly l'attirait par la nuque. Il rouvrit les yeux en poussant un cri.

Son cœur battait à lui crever les tympans. Là-bas, voilée par la neige, une lueur. Il éteignit les phares et, ne voyant plus rien, les ralluma. La lueur de nouveau. Elle brillait au hasard des lacets. Elle grossissait et dansait, luciole, illusion, elle s'immobilisait. Quelqu'un venait vers lui. C'était bien une moto, c'était bien Nelly. Elle redescendait, tête nue, jambes écartées, talons dans la neige, elle roulait au milieu de la route, éclaboussant les ténèbres, une cinglée. Viens, ma grenouille, viens m'épouser, viens chercher ton alliance et ton fric. Un tournant la cacha, puis elle reparut toute frêle, oscillant au bord du ravin. Un œil après l'autre, il la voyait arriver à sa rencontre et cherchait des mots pour l'attendrir, ton petit corps. Il coupa les antibrouillards, ébloui par le phare de la moto qui se faisait énorme en face de lui, un disque lumineux où se montrait tout hérissée, la chevelure de Nelly. Elle n'était plus qu'à une vingtaine de mètres, elle essayait encore de l'éviter, de se faufiler par le côté. Soulevant les mains du volant, Marc laissa la direction mal réglée déporter la voiture à gauche et ferma les yeux.

Quand il les rouvrit, le 4 × 4 était arrêté au bord du ravin. Il ralluma les phares et descendit. Appuyé contre la tôle tiède il cherchait le point lumineux. La neige tombait sans bruit dans l'obscurité. Dans quelques secondes on ne verrait plus aucune trace.

Rentré chez lui, les Delfonics tournaient toujours. Une dernière bougie brûlait sur la table. Il alla droit au buffet. Il ne manquait pas un billet dans le tiroir. Il but une gorgée d'ouzo, mit les fleurs dans un vase et fit la vaisselle. Une purée, cette sauce, une glu, fécule et maïzena, quelle saloperie, la marmite était fichue. Comme il enlevait la nappe il sentit une présence à ses pieds. Baissant la tête, il croisa le regard ahuri d'un petit garçon en pyjama.

– Elle est où maman ?

III

C'était la fin du jour à Désertas. Les couleurs mouraient. Autour de l'îlot la mer se refermait lentement comme une petite main. Dans un moment elle se rouvrirait et il ferait nuit. La lune allumerait son œil de pierre à l'horizon, les anges passeraient. Ils étaient les seuls à faire escale en ce point du globe où vingt-sept relégués de huit à vingt ans payaient leur dette à la société. Ce qu'ils avaient fait ? Ils n'avaient rien fait. Ni tué ni volé, ni brisé leurs dents aux vieilles dames. Ils se vengeraient. On entendrait parler d'eux. Ils avaient le bras long. Des enfants rêveurs, douillets, courageux, tourmentés, imaginatifs, proie des fantômes et des carabosses. Ils redoutaient l'esprit du volcan, le monstre marin du lagon. Mais à Désertas, le cratère n'était qu'un vieux fusil bouché depuis des siècles, et, pour sanguinaire qu'il fût, le requin ne mordait pas plus qu'un poisson d'avril : les baigneurs qu'il dévorait de loin en loin se réveillaient sans une égratignure.

Le soleil fut caché par le volcan, l'air chaud s'imprégna d'une douceur orangée. Venant à travers les lauriers du rivage, on entendit résonner des voix et des rires. Les cobayes avaient fini leur repas, ils arrivaient par le sentier. Le premier qui parut à la plage avait un chapeau de cuir et il boitillait. C'était Gun, le chef, quatorze ans. Il souffrait d'un coup de soleil attrapé sur un toit lorsqu'il n'avait pas une semaine. Il n'en guérirait jamais, voilà tout. Il aurait toujours des cloques et du feu dans les cloques, voilà tout. Et voilà pourquoi, cérémonieux et râleur, il était le chef de cette bande qui s'agrippait à ses beaux discours, se brûlait à ses cloques et le suivait à la trace : une dizaine de gamins en short, chemisette bleue, savates, on aurait dit les nains avec leur Blanche-Neige, aïe ho ! Un gros poussait une brouette, un autre balançait un transistor à bout de bras, loin derrière un petit coltinait un bidon qui fuyait. On l'appelait *petit* et son frère on l'appelait *grand.*

Régulièrement, Gun se retournait pour les houspiller. Ils se retournaient à leur tour, fouillant la nuit verte au-dessus des lauriers, guettant les bruits du danger. Ils avaient peur des surveillants et surtout du chien. Chaque soir ils l'enfermaient dans les douches, un chien d'Afrique aux flancs zébrés d'ébène, aux oreilles pelées, les dents baveuses – il s'appelait Mama.

Sous le scintillement des étoiles un feu crépita. Au pied des lauriers, les cobayes assis en rond buvaient les paroles du chef.

Grandi par son chapeau, Gun se dandinait sur le sable et faisait briller ses yeux. Encore une fois on n'avait vu passer aucun bateau, voler aucun avion, rien qui semblât tomber d'une autre planète. Quelqu'un a vu quelque chose ? T'as vu quoi, petit ? Un avion ? Quel genre d'avion ? Blanc avec des hélices, et il est allé s'écraser derrière le volcan. T'as même senti l'odeur de la chair grillée. Un jour c'est ta mère qui sentira la chair grillée. Tu la verras s'étaler dans tes nouilles et tu la boufferas. Tu trouveras ça bon. Tu nous laisseras même pas sucer les os. Tu commences à nous les brouter, petit ! avec tes yeux de lynx qui voient tomber des avions. Si c'était des avions de guerre, au moins, si tu nous récupérais des fusils.

Il y eut des ricanements et Gun se remit à parler. Sa voix chaude et brisée pouvait gonfler comme du feu. Tout en pérorant il allongeait ses grands pas boitillants, si majestueux à l'époque où ses tibias avaient encore la même longueur, où son manteau de cuir lui battait les mollets. Une fois de plus on ne savait pas où se trouvait l'île et, tant qu'on ne le saurait pas, inutile de s'évader. À l'école, il avait appris qu'on pouvait passer des années entières à dériver sur l'océan sans croiser un chat.

– C'est grand comme d'ici à la lune, et en plus il y a les cyclones.

– Et dedans y a des soucoupes volantes, ajouta le petit. C'est la guerre des étoiles.

Un murmure de protestation s'éleva.

– N'importe quoi. C'est vide, les cyclones. Ils ont fait des expériences dans mon village, ils ont rien trouvé.

– Moi j'y crois pas, aux cyclones. C'est des trucs qu'on nous racontait à l'école, c'est comme la religion. T'y crois, toi ?

– On s'en branle, des cyclones ! C'est bon qu'à déboucher les chiottes, y en avait chez moi.

– Vos gueules ! cria Gun. Cyclone ou pas, faut partir d'ici. En attendant on ne prend aucun risque, on élimine les traîtres. Tout le monde est d'accord ?

Un murmure d'approbation monta ; Gun promena son regard sur la bande autour de lui. Il ne relevait pas son chapeau mais haussait le menton, montrant des yeux miroitants qui ne clignaient jamais.

– On va voter l'exécution du mouchard. Il nous a chié dans les bottes, il va les bouffer. Ce mec n'est qu'une petite mouche venue spécialement du continent pour nous espionner. C'est les mouchards qui nous ont envoyés à Désertas, on les crève. Pour ou contre son exécution ?

Tous les bras se tendirent vers les étoiles.

– Amenez-le.

Projeté par un coup de pied, un adolescent tituba dans le cercle lumineux où l'attendait Gun. Mains ficelées derrière le dos, il portait à même la peau une veste noire où pendait un bouton doré. Il n'avait pas quinze ans. À la douceur de ses lèvres on voyait qu'il était nouveau. Il était plus grand que Gun bien qu'il se tînt voûté. Il avait encore sa chair sur les os, son sang dans les veines et des sentiments dans ses beaux yeux noirs où brillait la peur. Il se taisait. Il avait compris qu'il ne fallait pas rompre d'un battement de paupières la tension créée par ce chefaillon boiteux qui tremblait en parlant.

– À genoux !

Pierre obéit. Il avait sous les narines les baskets de Gun, l'une à plat dans le sable et bien lacée, l'autre en appui sur la pointe, languette en l'air, sans lacet. Plus loin, les yeux vigilants des cobayes faisaient penser à des oiseaux, à des chats. Il en voyait s'étirer, se recroqueviller, des voix vibraient, entrecoupées de rires et d'injures.

– La nuit dernière, cette espèce de salaud a voulu nous entuber. On lui demande ce qu'il a fait ? Il sait pas. On lui redemande. Il sait toujours pas. Il sait rien, il dit qu'il est là par erreur. Il nous sort une histoire de ravin où sa mère est tombée quand il était petit. Qu'est-ce qu'il en sait ? Il y était dans le ravin ? C'est pas lui qui l'aurait basculée ?

Gun se pencha sur Pierre à genoux dans le sable.

– C'est toi qui l'as basculée ?

– Non.

– Il se fout de ma gueule ! éclata Gun. Il se croit plus fort que moi, ça va pas traîner.

Pierre risqua un œil. Entre les jambes du chef, il voyait les rires des cobayes et dans la nuit noire un croissant de lune effleurer l'horizon.

– C'est fini pour toi, dit Gun en croisant les bras, et la pointe de sa basket gauche ne toucha plus le sable.

Sur un claquement de doigts le petit s'approcha, traînant comme il pouvait son jerrycan.

– C'est du diesel. Ça brûle lentement. D'habitude on prend du goudron. Bande-lui les yeux.

Le petit retira sa chemise et s'en servit pour aveugler Pierre. Le croissant de lune disparut, l'horizon disparut.

– Enlève-lui ses baskets et mouille-le.

Pierre sentit de petites mains tirer sur ses chaussures. À travers l'étoffe il entendait un chœur de voix surexcitées. On lui disait qu'il allait flamber. On lui disait : Fais pas la gueule, cafteur ! et on riait. On lui jetait du sable. On lui crachait dessus. Le bouchon métallique du jerrycan claqua par deux fois.

– J'arrive pas à l'ouvrir, fit le petit dans un long bâillement chantant.

– Conard ! fit Gun, et le bouchon claqua pour de bon.

Il y eut les glouglous du pétrole dégoulinant sur sa tête, puis une rigolade étouffée, des souffles caverneux. Un courant d'air chaud lui balaya la joue quand Gun jeta le bidon dans le feu.

– Qui va craquer l'allouf ?

– Toi, répondirent les cobayes à l'unisson.

– Tu l'as bien mérité, Gun, de la craquer.

– Sors-lui la nouille et craque-lui dessus.

Ce fut l'enthousiasme.

– Chiche que tu lui craques la nouille.

– Craque-la bien.

– Une bonne petite nouille flambée.

Pierre voulait détaler au hasard lorsque des mains lui enserrèrent les chevilles. Il s'abattit la face dans le sable, et soudain l'allumette fut craquée, ce fut un long bruit déchirant qui l'enveloppa comme une vague tombée du ciel. Il hurla et sa bouche se remplit de sable.

– Relevez-le !

L'instant d'après il était debout. Il se cognait à des crânes, à des poings, il ruisselait de pétrole et de sueur, balançait des coups de pied et quand on lui disait : Tu brûles ! il se roulait dans le sable en gémissant. La chemise lui tomba des yeux. À travers ses larmes, il revit la lune et les rires.

– Stop ! hurla Gun, on a assez joué.

Il posa son pied mal foutu sur la joue de l'adolescent couché près du feu. Il appuyait sa chaussure en tournant. Il avait l'air d'écraser sa clope.

– Je parie qu'il a fait dans son bène. Je parie qu'il va nous respecter, maintenant, nous raconter sa petite vie.

Il voulut saisir Pierre par une oreille, mais elle glissait comme du savon, ses cheveux glissaient.

– Tu vas nous la raconter.

– Oui.

– Dans le détail ?

– Oui.

– T'oublieras pas de nous dire comment t'as fait pour arriver chez nous par erreur. Pour que la société s'imagine qu'une petite raclure dans ton genre est un ennemi public. Ça vient ?

– Ça vient, dit Pierre terrorisé.

Il était né dans la peur, il vivait avec elle. Plus il chocottait plus il haïssait. La première fois, c'était la nuit dans une maison déserte où jouait une horrible musique. Il avait descendu l'escalier. Il n'avait pas osé refermer la porte ni souffler les bougies, il avait regardé les ombres rôder sur le mur et dans les tiroirs ouverts, il s'était caché sous la table. Il avait vu son père arriver blanc comme s'il était mort, les mains gantées. Sa mère n'était jamais revenue. Elle était partie cette nuit-là, sans même vider la baignoire où flottaient la brosse à cheveux et le flacon de shampooing. Et qu'avait dit Marc ? Tu comprendras plus tard. Et plus tard ? Elle t'a abandonné. C'est mystérieux les femmes. Et plus tard ? C'est à cause de toi, Pierre. Moi aussi, je l'ai perdue.

– Alors ! cria Gun, en le prenant par les revers de sa veste.

– C'est ma faute, commença Pierre en se relevant. Mon père disait. Il y aurait beaucoup à dire sur mon père...

Il s'interrompit. Il avait le nez bouché par du sang. Les vapeurs d'essence l'écœuraient. Mon père..., dit-il encore, à bout de souffle. Un premier mégot lui atterrit sur le pied. Puis un autre, un autre encore. Ils fumaient, les enfoirés. Ils étaient au Guignol et c'était lui Guignol, et si la séance ne leur plaisait pas il y aurait droit. Assis dans un coin, sa patte folle tendue, Gun pelait une banane en souriant. Il semblait ailleurs, mais sous le bord du chapeau de cuir se devinait un œil dingue à l'affût.

Le petit soupira :

– Voilà Mama.

Il y eut un moment de flottement, d'expressions tétanisées, de souffles courts. Se redressant, Gun s'empara d'un long bout de bois à moitié brûlé, et tous les cobayes de scruter dans la direction du chemin où l'on entendait la brise de mer voltiger sur les lauriers.

– Je me suis trompé. Mieux vaut prévenir que guérir.

– Conard! dit Gun, la rage aux lèvres. Sale conard! et il lui jeta son bâton fumant.

– Vous voyez rien, dit le petit de sa voix lente un peu bégayante. Vous entendez rien. Vous voyez la mer et c'est tout. Un jour, j'ai vu l'Amérique au milieu du lagon. Il y avait une grosse blonde à cheval avec des bottes en plastique blanc. Elle m'a parlé.

– Je vais t'enfoncer les yeux.

– Ça changera rien.

– Tu nous as coupé la chique avec tes conneries, on rentre à la base.

Suivant Gun les cobayes repartaient en file indienne, emmenant leur prisonnier. Le petit resta sur la plage. Il parlait tout seul en regardant mourir le feu. Quand celui-ci fut bien mort, il sortit une cuillère de sa poche et dans la cendre chaude il recueillit un bouton doré. Tombé d'une veste noire.

Le lendemain soir, Pierre essaya de raconter son histoire. Il pensait réellement arriver jusqu'au bout. Il avait soif, on lui passa la gourde. Ses liens l'écorchaient, on lui détacha les mains. Ne sachant par où commencer, habitué à serrer les dents, il eut du mal à laisser les phrases nouer le fil d'un souvenir qu'il s'était juré de garder secret, dans son tréfonds, là où les mots n'arrivent pas vivants. Il avait une voix grave et murmurante, sa lèvre éclatée ne saignait plus.

– Mes vieux, c'est Marc et Nelly.

– Tu l'as déjà dit.

– C'est important, mes vieux. Si je ne vous dis pas comment je suis né, vous n'y comprendrez rien. Ils se sont connus au Havre, un 14 Juillet. Un soir idéal pour rencontrer l'âme sœur. Il n'y avait qu'à se baisser.

– On s'en branle de ta sœur!

– Y s' tape sa sœur.

– Elle est peut-être jolie, dit le petit avachi dans la brouette, les mains entre les cuisses et les yeux à moitié fermés.

Il avait apporté un autre bidon plein au cas où Pierre se ferait exécuter, mais il n'avait pas pu pomper le gazole, Mama s'était couché devant la cuve. À la place il avait mis de l'eau de mer. Ça brûlait pareil et ça sentait pas si mauvais.

Pierre ne trouvait plus ses mots. Il essayait d'oublier le bidon suintant. Il y avait dix jours qu'il était là, les étoiles tournaient.

– Moi aussi je me serais fait avoir ce soir-là. J'aurais joué les âmes sœurs et morflé comme il a morflé, mon vieux, il ne s'y attendait pas. Elle avait dix-neuf ans, lui trente, il était marié. Le genre pirate à cheveux longs, avec un catogan. Comme il avait le physique à voyager il rêvait d'aller loin, il traversait la rue et tirait son coup avec la voisine, il lui disait : « Je vais partir », et il rentrait chez sa femme. Il vivait à ses crochets.

– Et comment tu sais tout ça ?

– On m'en a tellement raconté...

... Ma mère, pas terrible à cette époque. Une douceur, un charme. Elle a des kilos sur les hanches. C'est eux qu'on voit les premiers. Ensuite, on voit les yeux verts et les dents bien rangées mais trop tard, on pense déjà qu'elle n'est pas une jolie fille et que ses copines ne doivent pas la louper. Bref, à dix-neuf ans elle n'imaginait pas que les hommes allaient lui tomber dans les bras. Elle menait une vie sans histoires et c'était bien parti pour durer, la fac d'agronomie, la boutique de fleurs, les bons sentiments qui font les bons mariages. Le week-end, elle allait vendre des fleurs dans les restaus du bord de mer. C'est là qu'elle aperçoit mon père en train de dîner seul. Ou plutôt c'est lui qui la voit d'abord, avec ses œillets blancs dans les bras et son tee-shirt Fruit of the Loom. Il veut acheter une fleur, pour la lui offrir, mais un concert de rock joue dehors et l'on ne s'entend pas. Il la fait marrer avec ses mimiques de sourdingue. Il se lève et l'emmène à côté des cuisines, on ne s'entend pas davantage. Ils descendent l'escalier. Ce n'est pas très romantique mais ça va mieux. Ici, au moins on peut faire connaissance. Ma mère est comme toutes les filles, elle aime les beaux parleurs. Il baratine à mort, il dit des trucs qu'elle n'a jamais entendus ou pas comme ça, qu'il est paumé, qu'elle arrive juste au bon moment, qu'elle est belle, en plus, et qu'évidemment ce n'est pas une raison pour l'embrasser, même sur la joue, même s'il en a très envie. Qu'est-ce que je vais devenir, dit-il en caressant les Fruit of the Loom du tee-shirt, est-ce que tu es libre au moins ? Ma mère répond qu'elle est amoureuse d'un jeune homme et qu'ils vont se marier après son diplôme. « Avant, ce serait une grave erreur », dit mon père en la poussant dans les toilettes, et les œillets blancs se répandent sur la mosaïque, ainsi va la vie. Le plus con des deux ? J'en sais rien. Sûrement les deux. Parce que, au lieu de retourner après, lui chez sa femme, elle avec son jeune homme, ils vont s'emberlificoter dans une histoire d'amour. C'est pas qu'il aime tellement Nelly, mon père, mais c'est un gosse, un fouteur de merde, il adore squatter la vie des autres et casser leur baraque, il se barre après. Sauf qu'avec ma mère il va s'empaler sur un os.

– Quel os ?

– Au début ça va. Ma mère découvre l'amour et ses yeux verts se mettent à briller, à s'allonger. Au début, c'est juste une étincelle qui part de l'iris. Au bout d'un mois, ça flambe, elle est ravagée. Elle ne voit plus sa mère, elle vire son fiancé. De son père elle a hérité un cabin-cruiser qui dépérit au bassin du Roy. Elle en a besoin pour loger son amant. Elle est folle de Marc. Elle veut partir avec lui. Un an d'aventure et d'amour pour eux seuls, il est d'accord. Elle veut un gosse et pas dans dix ans quand elle sera vieille et qu'il enfilera des minettes, elle le veut tout de suite, elle est assez femme pour entrevoir qu'un gosse est un piège à loup, que mon père est un loup. Il est d'accord, qu'est-ce que ça lui coûte, il dit : Merveilleux, un enfant de l'amour, la famille, il fabrique dans le cabin-cruiser un berceau à balancier, et comme les mois passent et qu'elle ne tombe jamais enceinte il l'emmène à l'hosto faire des examens, des fois qu'elle aurait un petit problème de femme ou qu'elle soit bloquée mentalement. C'est bien ça, blocage, elle en a trop envie, tout est trop beau, tout va trop vite, Nelly, nous aurons ce bébé quand nous l'aurons, quand il nous choisira, quand nous serons loin. Est-ce l'amour, est-ce la brouille avec sa mère, elle embellit à vue d'œil, elle se met à plaire, on la siffle et mon père n'apprécie qu'à moitié. En juillet ça fait un an qu'ils s'aiment, ils quittent Le Havre par les canaux, ils vont au sud. Ils ont mis dans le berceau des sachets étanches de rhizomes hybridés, courgettes, haricots, soja, maïs, à vendre aux Noirs en cas de besoin. Marc sait bien qu'ils ne verront jamais les Noirs et que leur vedette est un vieux sac d'os incapable d'aller sur l'eau, ce qu'il ne sait pas c'est comment le dire à Nelly, pour le moment l'hélice tourne et les vaches n'ont pas l'air de s'affoler en les voyant passer. Nelly s'embête un peu. Elle s'inquiète pour l'argent. Elle se demande si Marc a bien déposé les sous du voyage à la banque. Il aurait pu lui présenter le reçu ! Quarante-cinq mille francs, une paille ! Un soir elle fond en larmes et menace de tout plaquer. À Noël, ils sont aux étangs salins du Rhône et ce joli trait bleu foncé là-bas, c'est la mer Nelly, c'est chez nous. Ils ne la prendront jamais. Pour leur dîner Marc achète au fils de l'éclusier des grenouilles vivantes, et Nelly trouve ça gerbant, scandaleux. On ne fait pas manger des grenouilles à la femme qu'on aime, alors tu les jettes à l'eau. C'est toi que je vais jeter ! hurle Marc. Sur l'étang, ils sont les voisins d'un babos espagnol sur un gros voilier rouillé, tigré de minium. Pour faire diversion Marc l'invite à dîner, un type ni vieux ni jeune, pas spécialement beau. Seulement voilà... Comme quoi la vie c'est une roulette et comme quoi les âmes sœurs vaut mieux pas s'y frotter. Comme quoi t'achètes des grenouilles et tu fiches en l'air ton destin, paf! en plein cœur. Je le vois comme si j'y étais, leur petit Noël sur l'étang, leur réveillon fatal avec l'Espagnol. C'est aussi le mien. Ma vie commence là.

IV

Les deux bateaux étaient amarrés côte à côte au milieu de l'étang. Il faisait froid, les étoiles montaient dans un ciel de cuivre. Marc et Nelly se parlaient d'amour à l'arrière du cabin-cruiser, ils se déchiraient sans bruit. Nelly disait : « J'y crois plus... » Elle se tenait appuyée au balcon, fixant l'eau d'un œil vague. Elle venait de quitter la table et Marc l'avait suivie, laissant l'Espagnol en bas. « Et pourquoi tu n'y crois plus ? » « Tu ne me plaisais pas, mais quel baratineur... J'étais folle de toi. » « Qu'est-ce que tu racontes ! » Il chuchotait, Nelly répondait à voix normale et disait qu'il était nerveux, que les gens nerveux lui tapaient sur les nerfs. L'Espagnol devait se régaler, se frotter les mains en les entendant. « Tu es fatiguée, c'est trop d'émotion, fais-moi confiance. » « Non. » Chaque fois qu'elle disait non il se raidissait. Il tentait d'expliquer, rabibocher, aplanir, il jurait qu'il était sûr de lui, de leur amour, comme jamais, ils en riraient dans quelques jours. Mais Nelly ne l'écoutait pas lui, elle écoutait la voix d'un bon génie qui lui soufflait la même réponse inlassablement : « C'est fini. » Et Marc se désespérait, il savait bien qu'on ne peut pas avoir le dernier mot avec une femme qui se contente de puiser la vérité dans son cœur, et le cœur de Nelly se vidait du chagrin d'avoir trop aimé, de ne plus aimer, de vouloir en rester là, de n'être plus amants ni bons amis, ni rien du tout, deux prétentieux qui se sont fait miroiter monts et merveilles, et leur miroir vole en éclats.

Se tournant vers lui, elle soupira :

– Je voulais être ta femme, avoir autant d'enfants que tu voudrais ou ne pas en avoir.

– Arrête ces conneries, viens dîner !

– Laisse-moi.

Il changea d'attitude, se fit tendre et lui caressa la nuque.

– Tu es une boule de nerfs, dit-il en la sentant se crisper sous ses doigts. Tu es peut-être...

Le bruit d'un avion couvrit la voix de Marc. Il décollait d'une piste balisée qui mordait loin sur l'étang, posant un collier de lueurs jaunes et violettes au ras de l'eau. Lavande et kérosène parfumaient l'air froid.

– Tu es peut-être enceinte...

– De qui ? fit Nelly d'un ton railleur. De toi ?

Depuis qu'ils avaient passé l'écluse, elle était comme une sœur dédoublée qui répondait laconiquement en son nom, connaissait à peine Marc et regardait avec stupéfaction ses mains se poser sur elle.

– Tu ne serais pas la première !

Elle entrouvrit la bouche et faillit parler, puis elle hocha la tête et s'échappa sur une autre idée.

– Tu m'as envoyée à l'hôpital quand on avait des doutes. On m'a fait des piqûres, des prises de sang, on m'a trimballée d'un service à l'autre, on m'a fait peur, des étudiants m'ont regardée sous toutes les coutures, un vieux gynéco m'a claqué les fesses en rigolant, tu as dû bien t'amuser...

Il l'interrompit :

– On était parfaitement d'accord.

– ... Tu m'as fait tester par des spécialistes et tu m'as testée toi-même, et tu t'es réjoui des bons résultats. Je comprends que tu sois fier. Et maintenant je suis enceinte, quelle rigolade !

Il s'empourpra.

– Ça remonte à quand ?

– Mercredi dernier, dix heures et quart.

– Fous-toi de ma gueule !

– Tu ne me crois pas ? Tu crois que je suis stérile ? Je n'ai pas le droit d'être enceinte de toi ?

– Mais si, fit-il d'une voix qui tentait d'ignorer la question.

– C'est tout l'effet que ça te fait.

– Mais non, je suis fou de joie. J'attends que ce conard soit parti pour hurler mon bonheur.

Elle avait quelque chose à dire et ce quelque chose était tapi dans ses prunelles, une évidence impossible à saisir, une pépite noire.

Ils étaient partis du Havre depuis un mois. Le bonheur des trois premières semaines était loin. La dernière avait vu se chamailler jour après jour un couple que l'amour à toute heure ne suffit plus à rendre heureux. Nelly se renfermait. Elle ne regardait pas Marc : elle l'observait. Elle ne lui parlait pas en confiance et pour le plaisir d'avoir le même avis sinon des souvenirs presque jumeaux : elle frappait juste, avec de petites questions impromptues auxquelles il répondait en éludant, surpris qu'elles fussent venues sur le tapis. Le soir elle bâillait. Il découvrait qu'une fille aussi belle ne donne rien au hasard et n'est pas embarrassée pour se refuser, même à l'homme qu'elle dit aimer. Elle ne le disait plus.

– On fera le test à la première heure demain. On partira plus tard. On a la vie devant nous, surtout si tu attends un petit. Imagine un peu...

– J'en ai par-dessus la tête d'imaginer. Gonfle le canot et ramène-moi à terre. Tu me dois bien ça. J'en ai pour deux minutes à préparer mon sac.

Il se moqua d'elle :

– Tu n'es plus enceinte ?

– Souvent femme varie, ramène-moi.

– Il va faire nuit, c'est dangereux.

Il lui posa la main sur l'épaule. Il venait de la toucher pour la dernière fois.

– Je descends, allez viens.

Il se dirigea vers la cabine, on voyait en bas clignoter un minisapin.

– Hé Marc, fit alors Nelly dans son dos. Ça veut dire quoi, azoo... machinchose ?

Le cœur de Marc s'arrêta. Il ne la fit pas répéter.

– Connais pas.

Au bas des marches il reprit sa respiration et vit le mot exact s'afficher dans sa conscience, AZOOSPERMIE. Un mot pareil ne s'improvise pas, ne se dit pas sans raison. Un mot pareil vous lamine un bonhomme. Elle ne l'avait pas dit mais c'était tout comme. Elle l'avait déformé pour l'atténuer, pour ne pas lui balancer à la gueule. Comment savait-elle ? Qui l'avait renseignée ? Qu'est-ce qu'elles ont toutes à vouloir des mômes, à ne vouloir que ça !

Et voilà bien l'affreux pour cet homme qui serait mon père un jour, à sa manière, et sans avoir fécondé personne. Il pensait que Nelly n'apprendrait rien et qu'un tel mot n'irait jamais chagriner sa jolie bouche. Avant ma mère il se faisait piquer les fesses aux hormones, il n'arrivait pas à avoir d'enfant. Le soir où ils se rencontrent au Havre, il vient de planter sa femme avec laquelle il vit depuis dix ou quinze ans et qui ne pense à rien d'autre, un bébé, le plateau thermique, les bons jours, les grigris, les couches-culottes, le test, les prises de sang, l'échographie, elle n'est jamais enceinte, elle perd la boule, elle l'aime, elle le hait. Et lui ras le bol de baiser la fenêtre ouverte, une fois par semaine, des vessies de glace sur les reins, ras le bol des cachets, des piquouses, des prélèvements, ras le bol d'ensemencer une fille à moitié barjot ! Il n'a qu'une trouille à la fin, c'est qu'elle tombe enceinte et qu'il se retrouve le géniteur d'un monstre bêlant, avec toutes ces hormones et tous ces traitements nouveaux qu'il subit, ces rendez-vous à l'hôpital où les toubibs lui serinent : « Patience, rien n'est perdu, c'est à nous d'aider vos gamètes à tenir le coup jusqu'à l'ovule. » Il voit bien qu'ils n'arrivent à rien et qu'il répand un foutre mort. Il accepte un dernier examen, quitte ou double, un truc amerloque, et se tire avant d'avoir les résultats. Il ne prévient personne, il suit ses propres pas dans la rue jusqu'à la gare, il s'assied dans un train quelconque et descend au Havre uniquement pour se faire la malle, oublier. Le même soir il rencontre Nelly, tombe amoureux et plus un mot du passé : amour, ciel bleu, famille à gogo. Et mon père s'attend presque à devenir un père, à se glisser dans la peau d'un homme qui va reconnaître un fils de lui, pourquoi pas moi !

Quand Marc se rassit, l'Espagnol lui fit un grand sourire auquel il répondit aussi largement. Connerie, cette invitation. Espagnol de mes deux. Il s'incrustait depuis la seconde où il avait posé son cul sur la moleskine. Il allait bientôt se laisser tenter par un vieux cognac et la bouteille y passerait comme la nuit. Ils n'avaient pas compris son prénom. Marc l'appelait señor, Nelly rien, les yeux doux. Il avait apporté pour l'amitié un cadeau à déguster plus tard, un tonnelet d'anchois maison et une bouteille d'ouzo qui représentait l'amour, c'est-à-dire une femme nue, c'est-à-dire Nelly. Il imaginait qu'à ce prix-là on peut mettre au pieu la maîtresse de maison, lui faire un petit dans l'oreille, pour l'amitié. Les reflets du poêle enlaçaient la femme nue. L'Espagnol reluquait Nelly.

Elle avait dit : Vire-le, facile, et quand il l'aurait viré qui chasserait-elle ? Lui, l'amant, le menteur, l'étalon sans vie dans les couilles, elle redirait : J'y crois plus, c'est fini...

Il tendit la main vers la bouteille et, sur un ton qu'il détestait, Nelly lui conseilla de passer à l'eau.

– Faut l'excuser, señor, elle est enceinte, elle n'a pas l'habitude. Elle hésite entre le voyage en mer et le poupon. Elle se demande si notre couple va résister à cette bonne nouvelle et moi je ne pense pas. Je pense que vous devriez partir avec elle et le plus tôt sera le mieux, elle en meurt d'envie.

Il but un verre d'ouzo, il en but un deuxième à l'amour, un troisième aux femmes enceintes, un quatrième à la santé du bébé.

– On pourrait l'appeler...

L'Espagnol se marrait, étalait ses dents blanches. Elles étaient où, ses mains ? Marc regarda sous la table et la nausée lui descendit à la tête, ce fut Nelly qui le remit d'aplomb. Il dut se cramponner à la banquette et, comme il regardait l'Espagnol, il vit deux tarentules agiter leurs pattes noires.

– Ouzo si c'est un garçon. Ouza si c'est une fille, et si c'est un monstre, car la nature est parfois bizarre, si c'est un monstre...

– On l'appellera Marc.

Il sortit son couteau de poche et planta sa lame dans le tonnelet d'anchois. Tandis qu'il biglait sur les filets suintants, une main légère passa devant son regard. Il voulut l'attraper et saisit une carafe qu'il porta machinalement à ses lèvres. Du café, bordel !... La carafe partit s'éclater au-dessus d'eux, Nelly hurla. Elle en avait des pieds à la tête, sa chevelure et son pull dégoulinaient.

– Une vraie petite rescapée du napalm, ricana-t-il.

La douleur le suffoqua. Il tenait un croissant de verre effilé, sa main pissait le sang. La faute à cette morue.

– C'est pas un pull à moi, ça ?

Elle se leva, il la fit rasseoir en la menaçant du morceau de verre. Elle était bien amochée, sa joue saignait, un bon coup de langue on n'y verrait plus rien, mais le pull était foutu.

– Enlève-le !

Avançant la tête, il la flaira de tout près. Elle embaume le café, la femme. Il ne partage pas son odeur ni son ombre sur les boiseries, pas touche, il ne partage rien, ni sa peau ni leurs histoires secrètes, elle est à lui. Il voulait d'elle un gosse pour qu'elle n'y pense plus.

– Vire ce pull.

– Après.

– Maintenant ! En Espagne la femme obéit.

– Tu vas souffrir.

Il cherche le muscle avec lequel, d'ordinaire, il lève un sourcil méprisant.

– Répète-le une seule fois et tu prends ma main sur la gueule.

Il lui montrait sa main en sang, elle allait bien finir par s'attendrir.

– De quoi t'as l'air quand tu jouis, tu le sais ?

Elle se maîtrisait encore, mais ses lèvres frissonnaient.

– T'as l'air d'un poisson, tu l'as dit à monsieur ? On ne t'a jamais dit que tu jouis en gobant les mouches ? Autant que vous le sachiez, señor.

Sur la joue de Nelly, la traînée de sang toucha la commissure des lèvres et de sa manche elle l'essuya.

– Grosse patate ! éclata Marc. Enlève-le !

Il ne se rendait plus compte de rien, il était barré dans un vocabulaire de malade, il voulait qu'elle plie, la faire souffrir, il l'aimait.

Reculant sur la banquette, Nelly croisa les bras devant elle et fit passer le pull retourné par-dessus sa tête. Au même instant il supplia tout bas : remets-le, par pitié... Dessous elle avait son tee-shirt en soie, transparent comme un pétale mouillé.

– Et rends-moi ce tee-shirt.

Dans les yeux verts il se vit tel qu'il ne s'était jamais vu dans aucun miroir, tel qu'il était. Le tee-shirt flotta par-dessus les épaules de Nelly. À part sa médaille elle n'avait plus rien sur le dos.

– Saloperie, souffla Marc. Et je parie que ton soutif est dans la braguette de monsieur.

Il apercevait l'Espagnol immobile à côté de la table, avec ses gros yeux luisants. Il avait fini par lever son cul. Il était temps. On allait enfin passer aux choses sérieuses.

Cette même nuit, quand Marc remonta sur le pont, il riait et crachait ses poumons. À la vue des étoiles, il eut un vertige et partit s'étaler contre le balcon arrière. Sous la violence du choc il inonda son pantalon. Dans son dos, une fumée rougeâtre fuyait par les hublots. Mais aucun père de famille attardé sur la rive, aucune épouse insomniaque, aucun fêtard ne prit la peine de la remarquer et d'imaginer de pauvres gosses en pyjama convoités par des flammes. La fumée se tordit un moment, déroula ses volutes, et quand elle eut disparu Marc était toujours cette loque humaine affalée près du balcon, les yeux ouverts, attendant d'aller mieux pour redescendre au chaud. Un vent léger soufflait, coupant comme du fer. Il avait les pieds glacés, les mains engourdies. Un temps idéal pour sortir les gamètes. C'était bourré d'astres, là-haut. Ils ricochaient dans tous les coins du ciel. Nelly disait...

– Nelly...

Il se traîna vers la cabine.

À l'intérieur l'air empestait la maison brûlée. Dans l'obscurité flottaient les taches laiteuses des hublots. On entendait le bruit régulier d'un roulement sur le plancher. L'interrupteur est par là, pensa-t-il en levant un bras qui lui fit l'effet d'un rondin beaucoup trop lourd pour ses forces. Il s'agrippait à l'aveuglette, il piétinait du mou, du craquant, et, tout imbibé qu'il fût, redoutait de buter sur un corps. Il te le flanquerait par-dessus bord.

En se retournant il accrocha l'interrupteur et les néons s'allumèrent. Il eut un choc à la vue du carré. Dans une buée rose planait un foutoir de casseurs, un désastre irréel filmé à chaud dans l'œil révulsé d'un soûlographe en coma dépassé. Il se mit à trembler. C'est peu dire qu'on s'était battu. La vedette n'existait plus, on l'avait massacrée. On avait tiré des fumigènes à bout portant sur les cloisons. Une gabegie de peintures et vernis carbonisés, moleskine fondue, tringles et dentelle arrachées ; le berceau à balancier pendait hors de son logement et les sachets de rhizomes jonchaient le sol. Les restes de plusieurs pique-niques voisinaient par terre avec des fusées, des fringues, un extincteur dégoupillé, le mini-sapin au trois quarts brûlé. Il se baissa pour ramasser son couteau.

– Nelly, dit-il, à peine conscient d'être seul à bord d'un cabin-cruiser tapissé d'une rouge fumigation dont lui-même était barbouillé jusqu'aux cheveux.

Il alla voir la chambre. Elle était silencieuse et magnifique de propreté. Nelly ne lisait pas sous la couette à la lueur de sa lampe, un bras derrière la nuque. Elle était où ?... Sur le lit se trouvait une enveloppe à en-tête qui n'avait rien d'une lettre d'adieu. Elle était adressée à M. Marc Loupiens par l'hôpital Béclère de Clamart. Il se l'était fait envoyer au Havre avant son départ, mais il n'était plus là pour la réceptionner ; elle portait les tampons des dizaines de capitaineries fluviales où elle était arrivée après lui, pour finalement tomber entre les mains de Nelly. Elle contenait son bilan sur dix ans d'examens et d'interventions variées ; un mot le rangeait à la fin dans la catégorie sans espoir des azoomachinchoses. Il la reposa sur le lit. Elle avait tout gâché.

Revenu dans le foutoir il s'assit jambes écartées, le dos appuyé à la porte carbonisée. La lumière des néons faiblissait en palpitant ; une bouteille allait et venait sous la table au gré du roulis, une Vénus de verre qui n'avait plus rien à donner. Il se demandait à quel moment il allait se mettre à pleurer. Son sperme ne renfermait aucune vie, ses larmes aucun chagrin sincère. Il ne lui restait plus qu'à mourir de sommeil. À tâtons il saisit de quoi se faire un oreiller : un jean retourné bien ramollo, bien souple, auquel se prenait un minislip ivoire. Il déplia son couteau, sectionna le slip. Jamais il ne partagerait Nelly, son odeur, son ombre sur les boiseries, son rire quand elle se frottait à lui comme un chat. Il perdait connaissance et pleurait à son insu. Entraîné par sa tête il s'écroula sur le sol et ressentit au visage un chatouillis glacial. On coule, murmura-t-il. Devant son nez une trappe de plancher manquait près du moteur et, plantée dans les fonds goudronnés, une hachette séparait en deux jets obliques une gerbe d'eau qui chuintait comme du gaz. Nelly l'avait bien dit qu'elle allait porter malheur, cette hache, et qu'il ne fallait pas l'acheter même à moitié prix, même de l'acier suédois.

Est-ce qu'il l'avait tuée ?

Au lever du jour il remarqua pour la première fois la disparition du voilier espagnol. Il était là hier soir, il n'y était plus. Il se doutait qu'elle faisait du gringue à l'étranger, mais de là à se tirer avec lui. Un avion cherchait la piste embrumée, la vedette sombrait en piquant du nez, entourée de flamants roses endormis. Ils ne se réveillèrent pas au bruit de Marc descendant à l'eau par l'échelle arrière. Il n'hésita pas, se laissa couler bras au corps, les yeux ouverts, genoux repliés, une main sur la poitrine, l'autre fermée sur son entaille. C'était la première fois qu'il mettait fin à ses jours, il crevait de soif. Six mètres plus bas il toucha le fond et quand il étreignit la vase il faisait si noir qu'il ferma les yeux. Loin dans son cœur il vit non pas le sourire édenté d'un squelette, mais une petite fille qui se traînait vers lui, les bras ballants. Où donc l'avait-il déjà vue ?

V

Huit mois plus tard, installé dans la Drôme à Lumiol, M. Marc Loupiens pouvait faire imprimer à cent exemplaires un bristol comportant, outre son nom, sa dernière raison sociale : AGENT DE RECOUVREMENT SWITCHEN GALAXY. Il avait toujours cheveux longs et catogan, mais son col ne s'échancrait plus ostensiblement sur un torse assoiffé d'air libre. Il s'ornait d'une cravate bleu-noir à monogramme entrelacé vert SG.

Les jours fériés, ils débarquaient à plusieurs chez les particuliers, deux agents et un serrurier, et ils recouvraient à l'amiable, à la dure, ils sauvegardaient les intérêts financiers d'une maison dans son droit. Switchen avait un principe commercial éprouvé : déniaiser les gogos, responsabiliser les naïfs, vendre à crédit un maximum de cuisines intégrées, aux bons payeurs comme aux autres, tous les clients étant rois. Au premier bémol on envoyait les gros bras et la camionnette banalisée. Pratiques dolosives, admettait Marc, au courant du vocabulaire, mais pour sa part, dans ses tournées, il séchait les larmes plus souvent qu'il ne montrait les dents et, force restant à la loi, l'argent rentrait. Entre les prix gonflés au départ, les mises de fonds, les bakchichs de l'organisme de prêt, les saisies sur biens, la revente au noir du matériel restitué presque neuf et les fripouilleries d'usage, Switchen se flattait d'avoir les reins solides et sa comptabilité à Vaduz, capitale du Liechtenstein. À son niveau, Marc ne se plaignait pas. Il émargeait pour une paye modeste et recevait des enveloppes de biftons, plus ou moins remplies suivant la nature et l'importance des interventions. Il ne lui serait pas venu à l'esprit d'appeler ça des pots-de-vin. D'autant qu'il ne buvait pas la moindre goutte d'alcool, un vœu.

Il n'avait pas chômé depuis son bain mortel. Il s'était mis dans la poche une petite ville. Entre-temps il avait fallu s'arracher à l'eau froide en nageant d'un seul bras, se faire soigner aux urgences de l'Hôtel-Dieu, imaginer une histoire d'agression plausible et s'évanouir clopin-clopant dans la nature après un petit déjeuner lugubre au sous-sol de l'hôpital en compagnie des indigents, enfin se justifier d'être en vie. Les économies de Nelly garnissaient les poches de sa ceinture antivol, près de quarante-cinq mille francs qu'il se félicitait de n'avoir pas mis en banque, où d'ailleurs il n'avait jamais rien mis. Tant qu'il vivrait il pourrait se donner pour but de lui rendre sa tirelire en main propre et d'être un type honnête, réglo. Arrivé par bateau-stop à Lumiol, il envisageait de remonter par étapes au Havre et là de suivre sa vieille idée, soit trouver un embarquement et s'enfuir au Canada, creuser le plus grand des fossés entre l'homme qui voulait mourir et celui qui trichait sur son âge, aimait la vie comme une mère encline à tout pardonner.

À Lumiol, il passa le premier soir chez Georges, une auberge les pieds dans l'eau d'une rivière à goujons. Comme le patron, il avait eu quelques démêlés avec une ex-épouse âpre au gain. Il revenait d'Afrique après une absence d'un an. Nelly, sa copine, était là-bas en mission d'agronomie. Un orage tropical avait coulé leur cabin-cruiser au port et les négros avaient désossé l'épave. Ils allaient repartir de zéro, tant mieux. N'étant manchots ni l'un ni l'autre ils y croyaient. Ils comptaient monter une petite affaire de rhizomes hybridés, leur spécialité, surtout Nelly. Ils se cherchaient un coin tranquille où se poser. Tranquille avec du caractère, comme Nelly.

C'est bien ainsi que Lumiol se définit sur un large panneau vert à l'entrée de la ville, porte Bayard : *Petite cité de caractère, respectez-la.* Certains sourient. De caractère à caractériel, il y a l'épaisseur d'un poil de cul. La ville a cinq mille habitants intra-muros et plutôt vingt si l'on compte aussi la Dive, les cités riveraines et les ferrailleurs. À l'écart des grands axes routiers, mais aussi des événements qui secouent l'écorce terrestre et l'Histoire, elle répugne à l'agitation, jalouse de son climat doux et sec à longueur d'année, de sa lumière éclatante. Elle est bâtie sur une colline au pied d'un château féodal éclairé la nuit. Au sud on voit la vallée du Rhône, les rails filant vers la mer, les piscines indigo de par les vignes en pente, les grappes joufflues moutonnant à l'infini, les neiges suspendues vers les Alpes ; au nord, émergeant des landes, il y a la centrale nucléaire avec ses réfrigérants presque blancs, une silhouette altière, une vache à lait sur le plan fiscal. On trouvel à Lumiol quatre cinémas un centre culturel, un terrain de base-ball, un scanner, une vidéosurveillance urbaine en couleurs, des rues dallées de marbre avec plots rétractiles aux extrémités, deux lycées d'État, un salon permanent des artistes régionaux, un parking à trois niveaux, les deux niveaux inférieurs murés suite à des viols et des messes toxicos, un parc de huit voitures poubelles avec système d'émondage téléguidé pour chemins forestiers, un port fluvial qui va tout doux, une police privée mixte en justaucorps zinzolin, équipée de huit dobermans dressés au mordant. La ville n'est pas xénophobe, non, elle a des chiens pour se défendre et des fusils pour dormir sans peur. Elle garantit sa tranquillité. Elle a bien raison, pense Marc, on en est tous là.

Ce fut ainsi qu'il établit ses pénates à Lumiol. Parce qu'on le regardait sans méfiance ; parce qu'un fil d'eau menait à la mer ; parce que des collines bouchaient l'horizon ; parce que les étoiles embrassaient l'univers ; parce qu'il avait l'âme usée par la nostalgie des lointains qu'il négligeait d'explorer ; parce que la solitude était son océan préféré ; pour mille raisons qu'il était seul à connaître et, bien sûr, pour mille autres il ne repartit plus, et surtout parce que Nelly lui manquait. Il se rappelait avec désespoir son appel téléphonique à l'éclusier des Étangs, juste après son bain suicide. Un voilier espagnol ? Oui, monsieur, il vient de passer. Une jeune fille blonde ? Oui, monsieur. Le bateau s'appelait *Marc-Aurèle*. Destination inconnue. Pas de message, non.

Au bout d'un mois un apiculteur lui vendit une ruine sur le port. La maison avait un étage et une cheminée fermière où pendait encore un croc rouillé. Dans le garage moisissait sur cales une Jeep rescapée du plan Marshall. Marc la bricola, il retapa la bicoque, utilisant des matériaux récupérés chez son voisin, Stromboli, l'ex-géant mondial des poudres à récurer, un site industriel à l'abandon. La nuit, il disputait des tuiles romaines aux orties géantes, aux rats, mais aussi des lavabos, une baignoire, l'escalier vermoulu d'une chapelle, des galets blancs dont il fit une allée, des planchers dont il fit une terrasse au bord de l'eau. Le jardin retrouva son apparence. Il débroussailla, sarcla, tailla, semant au petit bonheur pelouse et graines dont il ignorait les saisons et les noms, planta des bambous déjà montés sur la rivière. Les Lumiolais ne pouvaient qu'admirer l'instinct bâtisseur de Marc, ce talent souriant qui puisait son opiniâtreté dans l'amour d'une inconnue forcément belle : Nelly. On était curieux de la connaître.

En mai, voyant les œillets blancs se chevaucher le long du muret qui bornait son terrain, voyant la glycine escalader les pierres jusqu'aux génoises du toit, voyant tous ces oiseaux à la noce, Marc considéra la maison comme achevée. il avait envie de claquer des doigts en disant : Tu peux entrer, Nelly. Il passa des annonces elliptiques pour l'attirer dans ce paradis. *Marc Loupiens, maison des Abeilles, Lumiol.* Elle ne vint pas. Il invita Georges et qui voulait à sabler le champagne. On entrait par la cuisine en baissant la tête sous une abeille de bois vissée au linteau. On arrivait dans une salle à peu près vide, badigeonnée à la va-vite. La chambre était un grenier dont les fenêtres donnaient sur la Dive. Il y avait un berceau bleu à côté d'un grand lit, et à l'autre extrémité une baignoire. « On n'a plus qu'à faire le gosse... » Nelly serait bientôt là ; une question de jours.

Il y pensait comme un grand malade obsédé par la douleur. À nouveau fier de ses dix doigts il voulait lui montrer son œuvre et quel homme fort il était. Il voulait la reséduire. Il parlait tout seul en caressant les pierres blanches des murs qu'il avait brossées une à une, après qu'un fleuve les eut arrondies et qu'un volcan les eut vomies. Il aurait bientôt l'électricité, la télé, les commodités, les petites mécaniques qui ronflent, l'ordinateur, et même un laquais espagnol aux cheveux cirés qu'il paierait en lui crachant dans les yeux. Tour à tour il demandait conseil à Nelly, l'implorait comme un veuf qui parle à sa morte et croit qu'elle répond, il l'injuriait, vipère ! tu vas supplier. N'importe quelle femme aimerait l'habiter cette maison, en être l'abeille, la reine, le miel. Vipère ! Venin ! Salope ! Il passa d'autres annonces et Nelly ne vint pas.

Un matin, ne lui resta plus qu'un billet gondolé dans la poche, de quoi bouffer une semaine. Il se coucha. Quelle neige, le fric ! Il se revit séchant les quarante-cinq mille francs détrempés au souffle d'une brosse à cheveux électrique prêtée par l'épouse d'un batelier. Des lingots d'or l'auraient maintenu au fond de l'eau, mais aussi bien les galets du Rhône ou des sacs de terre. Il revit la fillette aux bras ballants qui se traînait vers lui sur un chemin désert. À son réveil, il gueulait comme un putois. Le moral à plat, il réchauffa une casserole de riz aux petits pois qu'il alla manger dans sa Jeep, face à la Dive. Il se demandait quelle profondeur elle avait, quelle température et s'il faisait noir en bas, s'il avait peur, s'il aurait le courage, cette fois, de garder les yeux fermés. Il emporterait un beau souvenir, toujours le même, la Nelly du premier soir dans son tee-shirt Fruit of the Loom, dans son pantalon gris qui ne demandait qu'à lui tomber des hanches, elle était vierge, elle saignait sur des œillets blancs, on aurait dit des souris qui se grimpaient les unes sur les autres pour lui bouffer les mollets. C'était plus beau qu'un coucher de soleil, cette gamine en sang qui piétinait des fleurs. Il sourit tristement à cette image, tourna la clé de contact et vit alors s'avancer un homme en long manteau beige, le bristol aux doigts, *la société SWITCHEN GALAXY, votre cuisine en vingt-quatre heures.*

Beau travail, dit-il en considérant la maison. Il paraît que vous êtes le genre à voyager ? C'est du passé, dit Marc toujours dans sa Jeep. Vous vous y connaissez en meubles et décoration d'intérieurs ? Je me défends. Des éléments intégrés, vous sauriez les monter ? C'est pas sorcier, il suffit d'assembler. Ça vous dirait un job légal, bien payé ? Si c'est légal et bien payé ça dit toujours. Un fixe et des à-côtés, ça vous dirait ? Ouais ouais, ça marche. On aime les battants comme vous, dit l'homme, vous nous suivez ? Je suis. Tant mieux, si vous êtes un battant le job est à vous. D'accord, je prends. Et plombier, ça vous dirait ? Pas trop. Un bon job, plombier, dit l'homme, vous avez le physique à ça, on verra par la suite. Switchen a besoin de gens comme vous, Switchen aime les battants, vous commencez demain, on passera vous prendre dans la matinée. Du regard il balaya les parages, les quais sans bateau, les entrepôts effondrés, la voie ferrée sans rails. C'est un peu désert, chez vous, vous avez quoi comme chien ? Je vis seul, dit Marc, et l'homme repartit dans son manteau beige à grandes poches où l'on aurait pu faire tenir les morceaux d'un cadavre.

Quelques jours plus tard, Marc eut la visite d'un jeune à blouson noir et capuche orange, il semblait allaiter un angelot. « Pour vous, dit-il, les papiers sont dans l'enveloppe. » Après son départ c'était Marc abasourdi qui pouponnait et léchouillait un minuscule nouveau-né, un chiot, fruit d'amours rageuses entre un pit-bull et un bull-terrier. Un bristol Switchen était glissé sous le collier.

Six assiettes par jour de steak haché dans cent millilitres de lait hypoallergénique. Ne pas laisser aboyer. Les chiens comme les hommes ont besoin d'affection.

Il l'appela Totin.

– Tu t'en sors ? dit Georges.

– Ça va, dit Marc, c'est un bon job en attendant Nelly.

Il prenait son petit déjeuner à l'auberge, on allait venir le chercher. C'était son troisième jour de boulot. Il avait un bristol à son nom.

– Elle vient d'appeler, dit Georges.

– Nelly ?

– Ton ex-femme. Elle n'a pas dit son nom, mais les ex je les reconnais tout de suite.

Marc reposa la tartine beurrée sur le zinc. Le ciel lui tombait sur la tête. Son ex ! Elle avait découpé les annonces. Elle allait envoyer des sommations, le poursuivre pour abandon, stérilité, manque d'argent, maquereautage et non-soutien moral avéré, pour amour déçu, féminité avilie. Son ex ou bien Nelly? Azoomachinchose, foutre mort, mythomane, escroc, naufrageur, tous ces mots lui déchiraient les tympans. D'un côté comme de l'autre il était piégé.

– Elle voulait parler à Mme Loupiens, la ruse! un message urgent.

Georges se pencha vers lui.

– T'as bien une ex-femme?

– Un vieux truc, ouais.

– C'est les pires. Je connais les ficelles, t'inquiète. J'ai répondu que Mme Loupiens venait de mourir à l'hospice et que la production de miel était arrêtée vu le grand âge de son époux.

Si c'était Nelly quand même, pensait Marc, la gorge sèche. Si c'était Nelly, conard!

– Ça sentait l'ex à plein nez, poursuivait Georges en connaisseur. Nelly m'aurait dit : C'est Nelly, elle n'aurait pas joué au con. Elle t'aurait demandé, forcément.

– Forcément.

– Elles m'auront plus, je les fous minables.

Il s'affairait à ses appareils, les percos, les manches de faïence à bière, il aimait les appareils bien astiqués, il avait les mains roses et des poils blonds. Il passait les week-ends à voltiger dans un piper de club, il disait : là-haut t'es pas emmerdé par ton ex, personne, même le percepteur fait dans son froc.

– T'as des gosses ?

– Non, dit Marc, coup de bol. Je ne serais jamais parti.

– Moi j'en ai quatre et je suis parti pour ça, pour ne plus voir leurs gueules. Quatre filles, avec la mère ça fait cinq ex-femmes, les cinq à vouloir me ficeler. Tu l'as échappé belle, mon pote, elle voulait te ficeler.

– Elle va peut-être rappeler.

Si c'était Nelly, se répétait Marc, la mort dans l'âme.

– Qu'elle rappelle, cria Georges, elle ne sera pas déçue ! Je la foutrai minable.

– Demande-lui son nom.

– Elle n'a qu'à se présenter, c'est pas les ex-femmes qui vont nous gonfler.

Il regarda Marc, les naseaux palpitants, l'œil mauvais :

– Te goure pas, mec. Une ex appelle, elle rapplique. Elle est là, dans les cinq minutes t'es ficelé, t'es plus qu'un rosbif... Et de haut en bas, l'index en piqué, il se mit à frapper son bar, comme un vieux baroudeur indiquant à ses hommes les objectifs à traiter. Elle vient pour que tu la sautes, pour que tu lui casses les dents, pour aller sonner chez l'avocate avec un dossier béton, pour te faire un môme et se venger sur lui, elle vient pour te ficeler, mec, et te passer l'anneau là ! là ! comme aux bestiaux – deux doigts en fourche il montrait son nez –, elle te fait un procès, elle exige des indemnités, elle te fout en taule, et en plus tu lui dois du fric pour les mômes qui vont aux sports d'hiver, à Harvard, ou se défouler chez le psy, pour les mômes elles disent la garde, elles ont la garde et pas toi, c'est une prison les ex, on est en cavale...

Il se tut cramoisi, les veines du front battantes et gonflées. Il aperçut alors Totin assoupi dans le blouson de Marc, son museau betterave appuyé sur le zinc. Il avait lui-même un gros toutou noir bas sur pattes, le mufle écrasé, des mamelles partout.

– Si c'est pas mignon, minauda-t-il en avançant la main pour caresser l'animal. C'est fidèle et ça ne réclame rien. Ça dort et ça mord.

Puis, sur un clin d'œil à Marc :

– Fais gaffe, mec. Quand on vient se planquer à Lumiol, on ne passe pas des annonces pour le claironner. Moi je protège Nelly. Je la sens bien, cette fille. Les couples illégitimes, ça me rassure. C'est les seuls où ça crie par amour.

Et bien sûr elle arriva... La nuit tombait quand ma mère descendit du car au terminus, place Galilée. Le chauffeur lui redit : « Par là, vous ne pouvez pas vous tromper. » Elle prit la rue qui coupe en deux la ville en allant au port.

Ce n'était plus la gamine aux fleurs avec son nez un peu fort, ses méchants kilos, ses robes démodées qu'elle empruntait à maman pour cacher ses genoux.

On était loin du bébé rougissant qui pensait qu'à vingt ans la jeunesse est finie, la vie tracée, un mari, des gosses, les deuils et les joies. Elle était grande, cambrée, les cheveux au vent, la musette en bandoulière, différente et pareille, aussi bien roulée que l'autre était mal fichue, comme si la première était un vague brouillon dont on avait juste gardé les yeux verts et les dents bien rangées pour qu'il n'y ait pas d'erreur. À mi-pente il y avait la fête foraine, elle demanda son chemin à des gosses vautrés sur les voitures en stationnement, écouta leurs amabilités sans répondre et repartit légèrement, longea le stade où résonnait un match, franchit le passage souterrain du TGV, laissant derrière elle un bruit de pas qui semblait la suivre. Quand elle vit la lumière embrumée des quais, après un dernier tournant, il y avait dix minutes qu'elle marchait. On apercevait l'Ardèche au loin.

Ce soir-là Marc piochait la route en face de chez lui, prétendument le bitume empiétait d'un bon mètre sur son terrain, c'est à moi ! À moi ! À moi ! La pioche retombait, les étincelles volaient. Il avait mis son bleu, il tapait pour oublier sa journée, son bon job, son job de con, sa nouvelle vie, sa cravate SG. Il jouait les durs, il allait à la muscule, au close-combat. À sa manière il était flic, para-flic, flic de cuisines intégrées, il gagnait sa vie comme un chef. Faut payer, les enfants ! Vous avez signé, faut sortir le chéquier maintenant, faut secouer la grand-mère, éclater

démontait, il aidait les jeunes couples à voir plus grand, à se tirer d'affaire, il limitait les dégâts, proposait des solutions, il acceptait tous les modes de règlement, échelonnait, il laminait la mauvaise foi, sa bête noire, il la faisait cracher. Un marché florissant.

– Bricolage et décoration d'intérieurs, éluda-t-il. La cuisine intégrée, c'est un bon créneau. J'achète, je revends, faut bosser. Beaucoup de psychologie.

Elle arrêta les yeux sur le camping-gaz où il faisait sa popote.

– Pour un installateur de cuisine, t'as plutôt du matériel basique !

– C'est ça les bons cordonniers.

Elle avait croisé les jambes, il aurait juré qu'elle cherchait à l'exciter. Il ne pouvait pas l'être plus. Depuis des mois il la désirait jour et nuit. Il cherchait en vain à la désincarner.

– Et ça marche ?

– On ne se plaint pas.

– Super ton 4 × 4.

– Il n'est pas à moi.

Elle poursuivait son inspection, le manteau de cuir gris fusil pendait sur un cintre à la fenêtre – il était froncé à la taille, il avait des épaulettes, de grandes poches à rabats, et sur le devant retombait une cravate nouée d'avance, noire à filets verts avec le sigle SG.

– C'est toi qui mets ça ?

– Uniquement pour les réunions au siège de la société. J'ai ma carte et mon numéro d'agent commercial. Tu veux voir ?

– Non merci.

Il faillit ajouter : On n'est pas des brigands, et il serra les dents. Elle était là depuis trois minutes et déjà elle commençait à soupçonner, à trouver ça louche, à fantasmer sur un cambriolage, les malfaiteurs, la planque, le recel, et lui le cerveau de la bande.

– Tu es locataire ?

– Location-vente, j'en ai pour deux ans.

– Et ça ?

De l'index elle désignait une boîte en métal sur la table de la cuisine où il travaillait les dossiers. À gauche l'aimable règlement, à droite le contentieux.

– Cagnotte, dit Marc.

– L'argent, dit Nelly.

– Elle est vide, c'est jour de banque, et il alla ouvrir la boîte comme pour le prouver.

– Et ce coffre ?

– Vide aussi. Une relique. Il y a quelques années le Crédit agricole a modernisé son parc de coffres-forts. Les anciens ont été coulés dans le ciment du barrage. Celui-ci a été, si j'ose dire, épargné.

À ce moment-là Nelly poussa un cri. Arrivé sans bruit sous la chaise, un petit chien rose léchait goulûment son talon blessé.

– Totin ! lança Marc, attendri, et il le ramassa d'une seule main.

Nelly eut un rire nerveux.

– Comment tu appelles cette horreur ?

– Totin.

– C'est mon surnom de petite fille, dit Nelly. C'est mon père qui l'a inventé.

– Tu me manquais, c'est tout. Maintenant que tu es là, c'est différent, je l'appellerai Médor. O.K., Totin ?

Avec un rire joyeux elle renversa la tête en arrière et sa robe remonta sur ses cuisses. L'instant d'après, elle observait Marc, il rougissait. Elle avait tellement changé, le regard plus grand qu'une forêt, plus enveloppant qu'un nid. De tout son être émanait quelque chose de sensuel et d'impatient. Il se tenait à quatre pour ne pas lui demander d'où elle sortait, quelles mains l'avaient façonnée, ce que contenait sa musette kaki, pourquoi elle venait, pourquoi ce soir.

– Tu es bizarre, dit Nelly. Tu attends quelqu'un ?

– Personne.

– Ta copine ?

La question lui déplut.

– Pas de copine attitrée.

C'était vrai. Il avait bien essayé les petites ferrailleuses du bord de la Dive, mais sans plaisir. Quand il avait soif, par trop soif de pulpe et de traits féminins il y allait, chaque fois déçu. Il ne laissait personne entrer dans sa peau. Il aimait Nelly.

– Tu es bizarre quand même. Tu n'as pas faim ?

Elle enleva son écharpe et sa veste, et se dirigea vers le frigo de la cuisine. Elle portait une robe caramel, avec un décolleté où brillait une croix dorée.

Nelly dînait de bon appétit ; en face d'elle, Marc s'embrouillait tout bas dans les mille interrogations suscitées par ce retour qui n'était peut-être qu'une visite éclair, un pied de nez. Tu es venue comment ? Bagnole, train, car ? Avec ou sans l'Espagnol ? C'est lui qui t'a déposée ? Il est à quel hôtel ? Il t'attend ce soir ? À quand remontent vos derniers rapports ? Heureusement l'heure tournait, le dernier car était parti, les trains ne s'arrêtaient plus à Lumiol depuis des années, le 4 × 4 avait les pneus crevés, le silence régnait sur le port, les voyous rôdaient. Elle allait devoir passer la nuit là-haut, sous les boiseries en pente, et peut-être avec lui, j'ai peur, Marc, serre-moi. Il se rappelait le chuchotement d'une gamine apeurée qui n'a plus que vous sur la terre. Sa voix s'était affermie.

– Alors comme ça tu ne bois plus.

– De l'eau.

– Et toutes ces bouteilles ?

Il considéra les cartons empilés sur les tomettes. Côte-rôtie. Il s'était bien gardé d'y toucher.

– Cadeau d'un client. Le pauvre vieux se croyait dans le trente-sixième dessous, et il avait ce trésor à la cave.

Elle le regarda bizarrement.

– Mon père aussi buvait de l'eau, tout le temps. La nuit je l'entendais boire au goulot. Il me réveillait pour que j'aille remplir sa bouteille. J'avais l'impression, s'il arrêtait, qu'il mourrait asphyxié. C'était ça ou replonger dans l'alcool, ce qu'il a fait. Un soir il s'est endormi au volant.

Elle ne parlait jamais de son père, le routier pochetron, le chauffard parti dans le décor avec ses dix mille poussins. Il n'en avait rien à foutre, et ce soir moins que rien.

– Je ne veux pas finir comme lui, dit Nelly.

Il trouva l'idée cocasse.

– Pour ça, faudrait déjà boire !

– C'est ce que tu crois, dit-elle en posant sa fourchette.

Il vit disparaître les yeux verts, et quand elle se mit à parler il retrouva ses intonations d'enfant désappointée. Elle avait peur, les choses allaient trop mal pour s'arranger. À vingt-deux ans elle était une vieille bique, complètement aigrie. Elle n'avait plus un sou. C'est pour ça qu'elle venait habiter chez lui. Il n'y avait pas à discuter. Ils avaient quand même été très liés, tu t'en souviens ? « Je pourrai te payer un loyer bientôt... » Quand il lui rendrait ses économies, cet argent qu'il était censé déposer sur son compte avant leur voyage. « C'est tout ce que mon père m'a laissé, de l'argent, et tu l'as pris. » Il lui devait aussi le cabin-cruiser et ses affaires restées dans les placards, ses bijoux. Ils n'avaient pas grande valeur, à part une bague de famille, mais elle y tenait comme à ses prunelles, surtout la médaille de baptême qu'il avait arrachée. Il faudrait chiffrer tout ça. Elle était fatiguée, maintenant. Elle n'avait pas dormi depuis...

– ... Tellement longtemps, fit-elle d'une voix bâillante. Moi là-haut, toi en bas. C'est presque un couple, ça. Ils partagent le même toit. Ils apprennent à se retrouver. Ça prend du temps, à demain...

Elle se leva pour gravir sans hâte le raide escalier miaulant du grenier. Bien après qu'elle eut disparu, Marc avait toujours la tête en l'air. Un escalier sauvé de la sauge et des ronces où il pourrissait. Il n'avait jamais vraiment pensé qu'il craquerait un jour sous les pas de Nelly, qu'elle aurait les jambes aussi nues.

Ce qu'il retient alors du discours de ma mère n'a pas grand-chose à voir avec ce qu'elle a dit. Il détacha les phrases : Tu étais l'homme de ma vie... Je t'aimais... Il les mit au présent avec l'impression d'anticiper raisonnablement, comme l'y autorisait la voix caressante de cette fille venue bel et bien vivre avec lui. Une voix imprégnée d'un sentiment s'apparentant à l'amour, d'une attirance impossible à conjurer. Il chuchota : elle est amoureuse, assez doucement pour n'en être pas tout à fait sûr, assez clairement pour que le son traverse l'obscurité jusqu'à l'oreille de Nelly. L'argent ? Balivernes ! elle n'y comprenait rien. À quoi bon la rembourser ? Une jolie fille n'est jamais démunie. Elle n'a pas besoin d'acheter à crédit son confort. On lui fait signer des papiers pour la forme, on les déchire après. Une jolie fille a de quoi se payer la toison d'or, c'est elle la toison d'or. La vérité, c'est que Nelly rentrait à la maison bourrelée d'orgueil et d'alibis abracadabrants, la vérité c'est qu'elle ne pouvait pas se passer de lui. Bien des questions subsistaient. Pas de panique, elle y répondrait.

Il n'avait pas ôté son bleu ni ses godillots. Il était allongé par-dessus les couvrantes, les pieds au sol. Par intervalles il allumait sa lampe torche et regardait les poutres au plafond. Là-haut, Nelly dormait au chaud. Il était surexcité. Prudence avec l'inconscient. Les yeux ouverts fixent l'instant présent, les yeux fermés errent dans les mauvaises pensées. Ils farfouillent, ils ne trouvent rien, un fil s'est rompu. Pas bien méchant, les histoires de cabin-cruiser et d'affaires noyées. Il ne se rappelait pas avoir arraché la médaille de baptême. Il butait constamment sur l'image de Nelly dans la pénombre du réveillon, les bras levés, le visage masqué par le tee-shirt qu'elle est en train d'enlever, la poitrine nue. Ensuite il y a cette fillette aux bras ballants, ensuite il se croit mort, il nage, il vomit à petits coups dans les roseaux, il donnerait sa vie pour une vision claire. Et depuis sa conscience bourdonnait d'une histoire qu'il ne s'était jamais racontée, histoire qu'il avait précipitée dans un puits sans fond. Les fumigènes, il avait bien fallu qu'un cinglé les tire, sorte du tiroir le colt en bronze et fasse feu. Et pareil pour la hache, qui l'avait plantée ? Moi, Marc ? Il n'avait pas remis à neuf cette caisse à savon pour la massacrer un soir de Noël. Même un azoomachinchose ne fait pas ça. Il ne se rappelait rien, mais inutile de l'avouer à Nelly. Pour qu'elle transforme une merdique petite médaille en rivière de diamants engloutis.

Il écarquilla les yeux. On marchait là-haut. Dans un élan somnambulique il traversa la pièce et monta l'escalier. Il rêvait d'une marchande de fleurs aux jambes nues qu'il avait eue vierge un soir de 14 Juillet. Il rêvait d'une chose qu'il pouvait briser, recoller, oublier dans un coin, reprendre à sa guise et vendre si ça lui chantait.

En arrivant au grenier, il entendit chuchoter en face de lui. Elle était debout à la fenêtre, un portable à l'oreille, une ombre hormis ses longues jambes baignées de lune.

– Tu appelles qui ?

– Ma mère.

– À deux heures du matin ? Elle change l'eau des fleurs ?

– C'est moins cher après minuit.

Une main froide étreignit le cœur de Marc. En trois enjambées il fut à la fenêtre et crut avoir la berlue. Nelly avait ouvert sa robe et la lune éclairait son ventre bombé comme de la pierre polie.

– Mais tu es enceinte ! s'écria-t-il.

– C'est bien mon avis, oui. Et demain ça fera déjà neuf mois que le cabin-cruiser a coulé. À ta place je m'inquiéterais d'une clinique...

VII

Si la Dive avait mauvaise réputation, c'était d'abord une affaire de mœurs. Il n'y avait pas que les bandes à tendre leurs guets-apens, mais aussi les ferrailleuses, des mineures à peine formées. Elles allaient par deux ou par trois, la bouche ou les paupières rayées de cicatrices, éduquées au fil du couteau. Elles surgissaient des taillis déserts en se rhabillant et vous attrapaient les mains. Pour un peu d'argent vous aviez la bonne aventure et les cicatrices, et, pour un peu plus, une virginité à peine émoussée dans une voiture volée. Les parents n'étaient jamais bien loin. Le week-end, elles venaient vendre leurs horoscopes en ville et rire au nez des Lumiolais. Chassées d'un côté, convoitées d'un autre, elles finissaient par régner sur plusieurs communes, elles et leurs familles, et par tout savoir des gogos qu'elles racolaient. Marc Loupiens était pressé d'en finir ; il se méfiait de la tribu, du couteau.

Cette nuit-là, quand Nelly prit sa main comme une sale patte indésirable sur son ventre, et l'en délogea sans dire un mot, ce fut pour le couteau qu'il gagna les berges, pour n'importe quel bout de ferraille entre les omoplates. Elle croyait qu'il allait accepter ça, elle en haut, lui en bas. Son bide en haut, sa bite en bas. Plutôt crever. Elle croyait qu'il allait s'écraser, s'excuser, trimballer éternellement sur son dos un cabin-cruiser éventré, c'est ma faute, Nelly, je ne recommencerai pas. À cause de moi tu attends le bébé d'un autre, à cause de moi tu t'es envoyé l'Espagnol sous mon nez, il t'a sucée tu l'as sucé, vous vous êtes reniflés comme deux clébards, vous vous êtes aimés tout plein, quelle horreur, c'est ma faute à moi ces petits cris qu'il t'a fallu pousser, ma faute à moi si j'ai les couilles en feu. Il voulait tout poignarder. Il allait nulle part le long des berges, injuriant la lune aussi gonflée qu'un ventre.

Il disparut cinq jours de rang, se trouva deux sacrées louloutes de quatorze et seize ans, prit pension dans une fourgonnette de livraison à domicile, où les victuailles ne l'avaient pas attendu pour se mettre à sentir, et s'enivra du mieux qu'il put. Lorsqu'il eut séché les six cartons de mercurey, qu'il eut épuisé les affres d'un madère au litre, qu'il eut dans la bouche une langue de bœuf impossible à remuer, il rentra chez lui. Nelly n'était pas là, mais ses affaires traînaient partout, l'écharpe, une brosse à cheveux, la musette, et sur le lavabo un flacon d'eau oxygénée. Elle installait son petit bordel de fille et d'ici peu ça cocoterait la fiente à fiston. Il y aurait des cris, du lait, du vomi, des couches, il faudrait s'émerveiller : Bravo, fiston ! Moi aussi je t'emmerde, et dès que tu seras né j'enverrai ta mère te foutre à la rivière. Il ne souffrait pas, une grossesse aperçue dans un rayon de lune est une foutaise, une bulle de savon. Sans les foutues annonces elle ne serait jamais venue. Il aurait continué d'en baver comme un rat mort, de tripoter les corps qui se présentaient, les mains qui le détroussaient, de baisouiller les ferrailleuses en regrettant l'amour de sa vie. Papa est en bas, maman est en haut, délirant ! Maman est virée, fiston n'existe plus. Il allait la prévenir que le programme avait changé. Son regard tomba sur le téléphone. Il pressa la touche bis. « Ici la clinique Aurore. » Il sentit vaciller sa belle humeur à tout casser. « Mlle Collinet, s'il vous plaît, Nelly Collinet. » « Nous avons une Nelly enregistrée sous le nom de Loupiens. »

Elle dormait à son arrivée dans la chambre ou venait de fermer les yeux pour avoir la paix. Il y avait un couffin roulant près du lit, vide. Il eut un vague espoir. Un fiston mort-né, difforme, idiot, les yeux d'un bonze et des patates germées à la place des mains, il avait fallu l'incinérer. C'était fini, désolé.

Avachi dans le fauteuil, il contemplait Nelly sans défense. Quels souvenirs, quels désirs flottaient sous ses paupières ? « Nelly », murmura-t-il par deux fois, mais les paupières n'eurent pas un frisson. Une perfusion lui traversait l'avant-bras, un peu de sang remontait dans le tuyau. En guise de pyjama, elle portait deux morceaux d'étoffe attachés sur les côtés par des rubans noués, on voyait la chair. Il refit le geste qu'il avait fait cinq jours plus tôt, il glissa la main sous l'étoffe entre deux rubans pour toucher son ventre ; un pansement la momifiait. En retirant sa main, il effleura la courbe d'un sein qu'il n'osa pas caresser. Elle sentait le chloroforme et la fièvre. Elle n'était pas si jolie que ça. À la première fatigue elle retrouvait son air cruche de petite marchande à qui les garçons font les cornes. Ses mèches platinées lui collaient aux joues, aux tempes. Le nez luisait, les lèvres sèches étaient cernées de gris. S'il l'étranglait il verrait jaillir sa langue de vipère, étinceler ses yeux de chien-loup, les verrait s'éteindre enfin. Comme il s'endormait en fixant son cou moite, une infirmière entra.

– Monsieur Loupiens ?

– C'est moi.

– Elle vous attendait.

– Elle m'attendait ?

– Ça fait trois jours qu'elle n'a pas dormi. Vous avez un magnifique petit garçon, mais il doit rester en couveuse. Voici les papiers. Vous avez jusqu'à ce soir pour le reconnaître, après vous serez à l'amende. La mairie ferme à cinq heures.

Il lisait l'incrédulité dans ses yeux. Il était en bleu crasseux, il devait puer la vinasse.

– Moi non plus je n'ai pas dormi, mademoiselle, je suis fatigué. Vous n'auriez pas une aspirine ?

Elle était repartie. Nelly dormait toujours, mais il apercevait l'œil entre les cils. Le cœur battant il vint se pencher sur elle, murmurant fébrilement le prénom qu'il aimait et voulait détruire. Du bout des doigts il suivait les contours de ce visage épuisé comme s'il effaçait les caresses d'un autre et tout un passé d'amour où il ne tenait aucune place. En se relevant, il but le verre d'eau posé sur la tablette, à plus tard mon amour.

Au bout du couloir, par erreur, il prit un vaste ascenseur réservé aux patientes et aux soignants. Le miroir était couvert d'avertissements thermogravés concernant les pompiers, l'hygiène, la préparation à l'accouchement, l'Unité Mère-Enfant, les repas... Un mot tira son œil : COUVEUSE. Interdit aux visiteurs. Tant mieux. On ne pouvait pas trop lui en demander. La porte s'ouvrit. Il lui semblait avoir descendu mais il était au cinquième étage. Il sortit sur un palier gardé par ces mots peints à même la cloison : CHUT BÉBÉ DORT. Il passa devant un bureau vide où ronronnait un four à micro-ondes et franchit un hall désert. Deux bonbonnes de métal blanches et un chariot couvert de fioles encadraient un large battant percé d'un hublot carré. Il entra, porté par ses pas et s'arrêta net, suffoqué. Il avait l'impression d'entendre l'air gonfler ses poumons, d'être relié à la vie par un mauvais tuba. Autour de lui c'était silencieux comme un vivarium. Dans une pénombre bleutée, des bacs transparents s'alignaient le long des murs. Les bébés roupillaient. Salut les p'tits crapauds. Il n'en avait jamais vu autant, peut-être vingt, plus vilains les uns que les autres, sans yeux, sans bouche, la peau fripée, l'air hargneux, des poils glaireux partout, une roseur d'organe. C'est ça l'heureux événement, la bête à bon Dieu ! C'est ça leur amour quand elles vous aiment, non pas vous mais le têtard planqué sous la mousse, prêt à gueuler. Tout en maugréant il soupesait les corps flasques des nourrissons, les sentait panteler, frémir, il regardait les bracelets d'identité : Morgane, Vanessa, Manon, Stéphanie. Que des filles ! Des crapaudes ! La terre n'avait pas fini de tourner et de faire boum. Lequel de ces batraciens sortait du ventre de Nelly ? Lequel était son destin ? Celui-là ? Il tira d'un bac un autre bébé et, comme le téléphone sonnait dans sa poche, il le percha sur son épaule. Il avait une oreille collée au portable, l'autre appuyée contre un enfant bien chaud que sa main protégeait à son insu.

– Putain, vieux ! Ça fait cinq jours !

– J'arrive, vous êtes où ?

– Chez les instits. La fille ne veut pas ouvrir, son mari s'est barré. On t'attend pour fracturer.

– J'arrive.

– T'es loin ?

– À la clinique, je viens d'avoir un fils.

– C'est beau, vieux. Ça s'arrose, un fils.

– Et si on laissait tomber pour aujourd'hui ?

– T'es malade ou quoi ! Pense pas qu'à toi. T'as un gosse, maintenant.

Ayant raccroché, il découvrit qu'il berçait l'enfant. Il n'éprouvait pas de haine, il avait l'impression d'être blotti. Sur le poignet du marmot il lut : Marc-Aurèle et se retourna.

– Qu'est-ce que vous foutez là ?

L'infirmière rappliquait.

– C'est le mien, bafouilla-t-il.

– Vous ne savez pas lire ?

Comme un voleur il se laissa prendre le nouveau-né des mains, se dépêchant de filer. La jeune femme lui ordonnait de revenir. Il se jeta dans l'escalier.

Bonus, partie gratuite. Il était cinq heures du soir, il jouait au flipper. Il y avait joué toute la journée. Il n'était pas allé à ses rendez-vous. Il avait bu des litres de café, des litres d'eau, mangé des sandwichs au kilomètre. Il se répétait : Marc-Aurèle, comme une chansonnette vidée de toute signification, un mot qui s'accrochait à sa voix, et par intervalles lui rappelait quelque chose d'ancien, c'était vague et sans importance.

Dans un état semi-comateux il sortit du bar. Devant lui, la mairie, le pavillon national. Depuis le matin il était passé vingt fois sur cette place. Il avait vu des vieux, des veuves, des fiancés franchir la belle entrée blanche et ressortir, il avait vu des éclopés fleurir le monument aux morts. Il traversa la zone piétonnière dallée de marbre avec l'impression de marcher sur des eaux noires et dorées, d'être attendu par la fillette aux bras ballants. Il crut bien la voir. Elle avait des lunettes d'écaille, un bonnet de laine à pompon vert, elle pilotait une voiture de pompiers dans le ciel étoilé d'un manège où s'envolaient aussi des éléphants, des paquebots, des girafes, des avions, des tanks, des autruches, des poissons, l'arche du père Noé tout hérissée de radars et de canons. Encore assourdi par le flipper il vint se mêler aux parents et regarda passer les casquettes, les bonnets, les cols déboutonnés, les nez coulants, les mèches folles, les rires édentés, les bouilles, les nattes et les crânes tondus, tout ça défilant au rythme d'une musiquette espagnole. Et subitement, le cœur au bord des lèvres, il vit débouler sous les néons clignotants le cabin-cruiser de Nelly suivi d'une grosse baille en fer noir dont le nom éclatait à l'arrière en lettres blanches : *Marc-Aurèle*...

Bousculant les gens comme un coupable, il s'éloigna du manège et se précipita à la mairie sur le point de fermer, hall, escalier, bureau des naissances, couloir, table, ordinateur, grande affiche de poissons tropicaux, employée antillaise en train d'enfiler son manteau, il était moins deux, il venait reconnaître un fils, il ne partirait pas d'ici tant qu'on n'aurait pas fait droit à sa demande, il connaissait la loi.

– Nom de la mère ?

– C'est écrit là, sur les papiers, elle vient d'accoucher.

– Madame ?

– Mademoiselle, c'est écrit là aussi, ça change quoi !

L'Antillaise pianotait sur l'ordinateur, sans un regard.

– Fille ? Garçon ?

– C'est un fils...

– Prénom ?

– Marc-Aurèle, fit-il en ricanant, comme son père, comme ses deux pères. Ça vous plaît ?

Il se mordit les lèvres et dit :

– C'est ringard, Marc-Aurèle, non ? Pierre-Paul-Jacques c'est beaucoup mieux et c'est indémodable. Allez roulez jeunesse...

L'Antillaise lui fit relire et signer sa déclaration

– Voilà, monsieur. C'est vous l'heureux papa ?

VIII

Et durant cinq ans l'impensable famille en vase clos, ma mère et moi réfugiés à l'étage, mon père en bas avec le chien. Deux foyers dans cette baraque où l'on vivait tous comme des intrus, le doigt sur la gâchette, l'injure aux lèvres, chacun s'attendant à devoir décamper. On faisait les courses au bazar alimentaire des quais. Marc payait, ma mère tenait les comptes. Elle passait les soirées en calculs, additions, prévisions, budgets dont Marc, le matin, trouvait le résumé sous son bol, un chiffre sec : sa dette globale amoindrie du pot quotidien. Aidée par la banque, elle avait évalué la perte causée par le naufrage du cabin-cruiser, mais aussi les sacrifices matériels et moraux consentis à cet escroc. Cent mille francs. Elle écrasait Marc sous cette montagne. Elle voulait se marier à fonds communs pour l'en soulager. Indemnisée, elle retrouverait sûrement l'appétit, des instincts. Il fallait l'espérer. La nuit, Marc essayait quand même de l'attendrir, j'entendais l'escalier craquer, des chuchotements, des éclats de voix, des aboiements et la télé qu'il redescendait allumer à fond. Il découchait ou ramenait picoler ses copains et j'entendais : « Il y a ma femme là-haut. » Et aussi : « Elle vaut cent mille francs. Ça m'arrangerait drôlement de vous la refiler pour cent mille francs. » Une fois il y eut un bruit de pas, des rires étouffés et brusquement la lumière s'alluma. Georges et Marc au pied du lit regardaient ma mère endormie. Elle s'accrochait à moi.

Cinq années où j'eus mes deux parents. Cinq années à n'être jamais d'accord, à faire semblant. Cinq années à laisser passer l'avenir comme un éblouissement. Cinq années d'angoisse, d'insomnies, de bons moments, d'étés radieux. Cinq années où, m'aurait-on demandé si j'étais heureux, j'aurais répondu oui, bonheur total, jusqu'au soir de neige où mon cœur se ferma. J'allais avoir six ans, les Delfonics tournaient, le vent secouait les rideaux, la nuit menaçait de tout emporter. Je me réveillais dans un livre habité par des bûcherons réduits à manger leurs enfants, un rêve où Marc se profile à la manière d'un voleur arrivant chez lui débraillé, pâle, sa veste noire parsemée de flocons ; il referme à clé, va boire à l'évier avec le bruit d'un animal en train de mourir pendant que moi, tremblant sous la table, je vois ses mocassins enneigés et son pantalon mouillé jusqu'aux genoux. De nous deux, lequel est le plus effrayé quand nos regards se croisent ?

– Elle est où maman ?

– Elle n'est pas là-haut ?

Quelle question ! Il ne pouvait que se retourner les ongles sur un tel caillou. Il ne savait plus ce qu'il avait fait, ce dont il était capable à cet instant-là. Il me regardait me tortiller sur le sol et ses yeux disaient bien autre chose que sa voix. Ils disaient : je l'avais oubliée, cette petite merdouille. Ils disaient : qu'est-ce que je vais faire de lui ? Deux éclats d'ardoise avec des arêtes bleues, des pointes. Une chance qu'il ait eu les mains occupées par une assiette et par ce torchon qu'il malaxait.

– Elle est forcément là-haut. Retourne au lit.

Il essuyait mécaniquement les assiettes et les replaçait dans l'égouttoir. Il y aurait eu mille assiettes, il en aurait essuyé mille, il en aurait cassé mille avec cet air idiot, ces mains rouges de froid. Il semblait parler au mur devant lui.

– Vas-y !

Je ne bougeais pas.

– Si je monte et qu'elle y est, tu vas m'entendre.

On a fini par monter, il s'est approché du lit vide, il a soulevé les draps, l'oreiller, puis il est allé toucher l'eau dans la baignoire, il me l'a fait toucher, et le bruit m'a rappelé maman quand elle se baignait la nuit en lisant. De mon lit j'entendais le régulier froissement des pages, je voyais une ombre bouger sur le mur et s'allonger sous la charpente, ce n'était qu'un livre et la main de ma mère.

– Elle est tiède, a dit Marc en s'asseyant sur le rebord de la baignoire.

Nous étions là tous les deux, éberlués, à nous jouer la comédie pour éviter le pire, une querelle à mort entre un homme de quarante ans et son fils de six ans. Le regard vide, il continuait d'agiter l'eau.

– Elle est tiède, elle a pris son bain il y a peu de temps...

Il a ramassé la brosse à cheveux qui traînait à la surface, il est allé se repeigner devant le miroir du lavabo, il a tapoté sa coiffure au-dessus des oreilles et remis la brosse à l'eau. Sans sa moustache et sa queue de cheval il semblait déguisé. Il avait dix ans de plus et dix ans de moins.

– ... et tu vas me dire quand !

Il est venu s'accroupir devant moi, il m'a saisi par le menton, il m'accusait. Si quelqu'un pouvait savoir où elle se planquait, c'était moi. Il répétait : « Où veux-tu que je la cherche si tu ne me dis pas où elle est ? »

Je frissonnai.

– Elle te l'a dit ! Elle t'a dit : Pas un mot à ton père.

Des yeux sans lumière, des mots comme des cris dans une voix sans timbre.

– Tu te rends compte qu'il neige et qu'elle pourrait se tuer ?

Il a repoussé ma tête et j'ai commencé à pleurer.

– Rien à foutre ! Elle n'est jamais bien loin. Va te coucher. Disparais.

J'avais horriblement peur et froid. Je voulais qu'il me prenne dans ses bras, j'ai attrapé sa main mais il s'est dégagé.

– Tu es sourd ? Couche-toi !

Il m'a soulevé et il est allé me jeter sur le grand lit où nous dormions ensemble, ma mère et moi, il a bordé les couvertures si serrées que je ne pouvais plus respirer.

– Et maintenant tu dors, Pierre ! Tu fermes les yeux ! Si tu les rouvres tu ne dormiras plus jamais. Dors !

Il avait la voix dans un état.

J'ai fermé les yeux, je les ai rouverts. J'avais dormi. La lumière brûlait toujours, le vent s'était calmé. J'entendais l'eau couler dans la baignoire et je voyais l'ombre de maman. Ma peur s'est dissipée. Je suis resté bien au chaud sans bouger, à moitié réveillé. Tout à l'heure elle viendrait mettre autour de moi ses bras mouillés et demain j'aurais oublié. Je l'ai appelée en chuchotant mais elle n'a pas dû m'entendre. À qui parlait-elle ? Je suis allé me tapir comme un chat. J'ai vu mon père assis tout habillé dans la baignoire, la tête entre les mains. Il était secoué par les sanglots, c'était lui qui parlait. L'ombre de maman s'éteignait sur le mur, elle refermait son livre. Elle n'était plus là.

Tout commence quand il me dit : elle est forcément là-haut. Tout commence avec cette voix brisée, cette neige fondue sur les pieds, ces mains rouges de froid, ces bruits criants d'assiettes, tout commence là-haut quand il pleure et n'arrête pas d'aller et venir, d'appeler. Avant, l'histoire n'existe pas ou si peu ; après, elle n'arrête plus, c'est ma vie. Si je ne la raconte pas ils me coupent la langue, ils me tuent.

Tout commence là-bas, tout finit ici dans cette infirmerie qui pue.

Sa tête retomba sur le traversin. S'il fermait les yeux il était à Lumiol, il guettait la neige et les ombres. S'il les ouvrait il était à Désertas, couché, brûlé par le seau de goudron qu'il s'était renversé sur la jambe exprès. Derrière un papier d'emballage il avait écrit *Chère Laura*, des dizaines de fois, et les cobayes lui étaient tombés dessus, qui c'est Laura ? Où qu'il aille il les avait sur le dos. Ils le suivaient aux chiottes, à la douche, ils se relayaient à son chevet. Il était cerné par les rires, les menaces, les clins d'œil, les coups, les papouilles, les injures, les tours de clé, les hurlements la nuit dans son oreille, il était cerné par la peur, une seconde peau collante et sale. Il ne pouvait regarder les mains de personne sans avoir froid.

Il distinguait les lits vides autour de lui. C'était comme autrefois quand s'animaient les ombres et qu'il voulait disparaître. La nuit dernière, le petit occupait le lit voisin. Il avait la migraine et Pierre le dérangeait à remuer sans cesse. Il se mit à fumer. « C'est ton nom Pierre ? T'es bien sûr ? D'où tu viens ? Pourquoi t'es là ? T'as les jetons ? T'as raison, tu vas crever. T'es stupide ou quoi ? Un nouveau mec arrive à Désertas, faut qu'on sache qui c'est, question de sécurité. S'il a buté on veut pas savoir pourquoi, on veut savoir qui. On veut les détails, ça colle aux tripes. S'il n'a pas buté, on veut aussi les détails. Si c'est un barje, une petite bite malade, faut pas compter sur lui pour se mettre à table ou pour les détails. Un mec te dit qu'il refroidissait les flics dans les bijouteries, c'est neuf fois sur dix qu'il enculait des filles aux bois. On sait pas grand chose, à Désertas, mais on a du pif. »

Il se tourna vers Pierre.

– Alors t'as buté qui ?

– Ça change quoi ?

– Ça change que tu vas pas nous bourrer le mou longtemps.

– J'ai buté personne, je l'ai toujours dit.

Le petit se marra.

– Pauvre erreur judiciaire ambulante ! À vue de nez, t'es pas une bite malade. À vue de nez, tu serais plutôt une mouche de l'administration. On en a déjà vu. Tu veux un tuyau ? Les mouches, elles ne supportent pas le climat. Crois-moi, c'est un bon tuyau.

Au chant du coq ils parlaient toujours et Pierre posa sa première question depuis qu'il était sur l'île :

– C'est vrai que t'attaquais les banques ?

– Pas les banques, les banquiers. C'est mon frère. Dans la famille on aime les voir sourire. Un jour, tu regarderas sourire un banquier et tu ne pourras plus t'en passer. Un banquier qui sourit c'est la Joconde en mieux, ça vaut très cher.

Le petit était bien vu à Désertas ; il jouait de la guitare, il racontait des histoires à dormir debout ; il attrapait les poissons à main nue dans les mares.

Sans lui l'infirmerie faisait l'effet d'un piège. Plusieurs fois par jour Gun apparaissait à la fenêtre et secouait la grille. À travers les losanges rouillés il tirait une langue obscène, rappelant sa promesse : « Ou tu parles ou je te la coupe. Ou tu deviens un cobaye ou tu crèves. » Parler ? Il avait essayé. Il se heurtait à une muraille de mots cimentés entre eux, sans issue. Son père lui répétait : Motus, ferme-la, et il zippait ses lèvres à deux doigts. Bon élève, Pierre fuyait d'instinct les mots dangereux. Plus on le pressait plus il se terrait. Son père l'avait élevé comme ça. Les cobayes aimaient les vantards. Lequel d'entre eux avait réellement assassiné ?

Couché sur le dos, il essayait de calmer sa respiration. D'examiner les choses avec froideur. D'oublier la fenêtre où brillait la nuit. Parler, se taire, avoir la langue tranchée, se vider de son sang dans une crique à l'écart, mouche dévorée par les mouches. Il voulait en finir avec son secret pourri qui n'en était plus un. Cobaye il serait alors, logé nourri gratos, petit caïd au pays des ananas, vue sur la mer et bon climat, apprentissage et métier d'avenir, la prison de cocagne et mon zob !

Prison, Désertas l'était, prison pilote commandée par des militaires en bleu comme les relégués. Ils étaient onze pour vingt-sept cobayes, et douze avec le docteur. De riches industriels férus des valeurs publiques, familiales, mais aussi des avantages fiscaux réservés aux œuvres d'intérêt général, subvenaient à l'entretien du site et du bateau qui desservait l'île. L'État fournissait l'encadrement, la poigne. Fondation pénitentiaire ou prison, Désertas donnait un toit et des limites carcérales au criminel mineur, trop blanc-bec pour aller en centrale, trop dangereux pour être relâché. Pas de suivi judiciaire, pas d'avocat, pas de visites. Et pas de femme non plus à Désertas, même si le petit avait vu Lydie. Elle avait dans les trente ans, elle était nue sur la pente aux éoliennes, elle portait des bottes de plastique blanc, et le docteur la dérouillait avec une tige de laurier. N'importe quoi, disaient les autres, le docteur est pédé comme un phoque. Réelle ou non Lydie les charmait, Lydie se laissait toucher dans les rêves et sculpter, une belle blonde, une rousse pulpeuse ahanant au milieu des hélices qui vrombissaient devant l'eau bleue. Dans les rêves on n'était pas obligé de la dérouiller, on pouvait l'appeler Laura. Pour tous ces gamins elle incarnait la femme absente, lorsqu'ils s'aimaient chacun pour soi, pour personne, ou s'étreignaient comme Adam et Ève. Et le petit en avait vu bien d'autres.

Pour les maladies on s'adressait à Docteur. C'était son nom. Les cobayes n'auraient pu trouver mieux. Le corps allait mal, Docteur soignait. Il avait toujours un remède en poche, scie sauteuse ou briquet. Il administrait la guérison comme un châtiment. Carie ? Il arrachait. Constipation ? Il purgeait, drastique. Remal ? Il ouvrait. Besoin d'aide, urgence ? Il appelait la Croix-Rouge et la Croix dépêchait un zinc. Entretemps le patient décédait et l'avion regagnait sa base. De toute manière il n'aurait pas pu atterrir, la piste était en travaux. Deux morts en douze ans, c'était raisonnable. Dans sa blouse maculée, le poil au vent, le nez comme une pomme au four, Docteur avait une touche de pizzaiolo un soir de coup de feu. Pour Pierre, il n'avait rien pu faire, mon grand, sinon l'héberger à l'infirmerie. Si l'infection tournait mal, on demanderait à la Croix-Rouge un avion.

Un avion, pensait Pierre, un rapatriement sanitaire, une greffe de peau, la liberté. À Lumiol, il avait gravé sur sa table un avion dont les ailes ressemblaient à des petits pains. Il gravait des maisons par dizaines et des escaliers, des personnages aux bras écartés sous la neige, des montagnes et des soleils, des trous où gisaient des montagnards calcinés. Il se faisait engueuler, mais par qui ? Sa mère était toujours à la maison, son père revenait le soir, une vraie famille. On dînait, on zappait, on dormait. Quand ça criait trop il allait au bout du monde avec son avion, et il revenait des années plus tard se poser sur la table. Sa mère lisait et lui caressait la tête en disant : Te voilà. Il revoit sa mère, l'avion, la table sur deux tréteaux, la lampe articulée en métal rouge, elle grince, elle fait un rond de lumière comme au théâtre. Le bout du monde est à Lumiol. Ce serait bien d'y retourner, de se poser sur la table et tant qu'on y est d'avoir six ans, ses deux parents, pas seulement des bruits dans la tête et des ombres étalées sur les murs, des images déchirées, une mémoire comme un lac aux poissons crevés. Avec les ombres il y avait bien des gens qu'il aimait, où sont-ils ? Et s'il ne les aimait pas c'était sa vie quand même, il avait besoin de s'accrocher à leurs basques, c'est important d'en vouloir à ses parents quand ils sont en vie, quand on est deux à s'en vouloir ; un jour la mort gâche tout. Ma mère sentait bon, mon père en était fou, il m'apprenait à marcher, à lire, il me portait sur ses épaules, il m'aimait, est-ce qu'il m'aimait ?

IX

Il ferma les yeux au souvenir des scènes grotesques où Marc, infichu de lui parler sans l'humilier, faisait dire à l'amour ce qui l'arrangeait sur l'instant – l'amour, oui, cesse de pleurnicher. Commence par te moucher si tu veux la revoir et par dormir sans mouiller les draps. Commence par me fiche la paix, oublie-la ! Elle était partie par amour et c'était par amour qu'elle reviendrait, quand son fils ne la réclamerait plus ; s'il continuait elle se trouverait un gosse moins pot de colle, mon p'tit père, elle jetterait la clé de la maison, car en prime elle avait gardé la clé ! Horrible amour, horrible mère absente. Le dix-sept avril il avait soufflé six bougies neuves sur le pain de Savoie qu'elle avait fait pour lui ; le vingt-sept au soir elle s'en allait et toute la nuit son père monta l'embrasser comme un cadavre en disant : « Pardon, Nelly. » Le vingt-huit, se réveillant seul, il fouilla les placards, secoua les rideaux, les livres, regarda la neige étendue sur la vallée silencieuse, appela dans la cave, alla voir la cabane à lapins derrière la maison, sur la route où c'était blanc jusqu'au tournant, sous les arbres lourds de flocons au bord de la rivière, et rentra les mains vides. Elle n'était pas là, non, toujours pas là. Où pouvait-elle être ? Perplexe, il se mit à chercher en lui.

Les premiers mois, il berçait les présages d'un bon vieux temps imminent. Il attendait que la porte s'ouvre et qu'elle apparaisse, que sa voix résonne, que sa douce main remonte la mèche sur son front. Il pensait rattraper demain les heures perdues qui se perdaient chaque jour davantage. Quand elle sera là j'entendrai tinter ses bracelets, on ira faire les courses en moto, on ira prendre des bains de soleil à la rivière et mon père nous posera des questions pièges. Il ne me réveillera plus pour savoir ce qu'elle m'a dit, il ne bondira plus pour répondre au téléphone, on ne fera plus de messes basses dans mon dos, comme s'il y avait des pensées que je n'ai pas le droit d'avoir.

Quand elle sera là.

Mais tant qu'il eut des anniversaires elle ne fut pas là ; le feu aurait pu s'éteindre sur toutes les bougies du monde et de tous les âges sans qu'elle revienne.

Le dix-sept avril il souffla sept bougies de guingois sur un baba au rhum industriel et, subitement, s'étonna que sa mère ne soit pas à table avec eux. « Elle avait un autre anniversaire. Elle viendra l'an prochain. » L'an prochain huit bougies flambèrent, puis neuf au-dessus d'un bol de mousse au chocolat.

Pierre demanda pourquoi elle était partie, question dont il était bien entendu qu'il ne devait plus la poser, jamais. « Sans doute elle t'aimait trop », répondit son père excédé. Ils burent un verre de rhum en guise de consolation. Ils en burent un deuxième. « Elle te manque ? » « J'aimais bien qu'elle dorme avec moi. » « Elle ne dormait pas avec toi, p'tit père, elle dormait en bas avec moi. Sauf quand tu avais des cauchemars ou la fièvre. Elle prenait son petit déjeuner au lit, une vraie princesse. Tu te souviens ? » « Non. » « Elle était brune ou blonde ? » « Blonde. » « Blonde, oui, comme l'ébène. Vous avez les mêmes cheveux, la même origine espagnole. » « Elle était grande », affirma Pierre. « Non, minuscule, une petite bonne femme de rien du tout. Mais c'est vrai qu'à cinq ans on voit tout en grand, même une mère haute comme trois pommes. Elle trichait avec ses talons. Elle m'a flingué les tomettes, tu n'as qu'à regarder. Elle avait un beau rire éclatant, j'admets. Un peu fatigant à la longue. Elle t'aurait trouvé comique avec ton nez coulant. Tâche de la reconnaître samedi prochain. » « Elle vient ? » « C'est nous qui lui rendons visite. » Ils allèrent à Paris dans un bar. Pierre somnola au fond d'une pièce obscure en buvant des laits grenadine. Il entendait rire et chuchoter. On lui disait de rester là bien gentiment. En repartant, il aperçut la tour Eiffel éclairée ; une seconde plus tard elle s'éteignait. « Il y avait du monde ce soir, elle n'a pas pu se libérer. Elle sera là pour tes dix ans. »

Il la voyait la nuit, les yeux tristes qu'elle avait. Elle partait, mais il la rattrapait sous la neige et la ramenait à la maison, lui faisait couler un bain chaud. Elle avait perdu sa musette en chemin, il retournait la chercher sur la route au-dessus du ravin. Elle partait, mais elle ne manquait jamais les anniversaires ou les Noëls. On était en famille, on buvait du rhum. Elle venait l'attendre à l'école, elle lui portait son cartable, il s'en fichait qu'elle soit brune ou blonde, il était fier, c'était sa mère. Une nuit, il quitta son lit pour la dessiner sur la table avec ses personnages et son avion. Une autre nuit, reconnaissant au loin sa voix claire, il alluma pour qu'elle ne tombe pas dans l'escalier. Une autre encore, réveillé par une moto, il sortit et marcha presque jusqu'à Lumiol. Le matin, des livres qu'elle lisait autrefois gisaient dans les plis des draps. Il avait raison, Marc, elle n'était jamais loin : jamais loin, jamais là.

De sa double vie nocturne il ne dit plus rien à son père après six ans. Ils allaient ensemble à la pêche, au foot, au ciné-club ou se balader à Lumiol, et quand ils croisaient des gens Marc chuchotait : Fais gaffe à ce que tu dis. Et après : T'aurais jamais dû dire ça. Tu parles trop. Motus était le mot d'ordre, et Pierre n'avait aucun mal à tenir sa langue à la maison, conscient que son insistance à réclamer sa mère ne lui valait que des ennuis. À l'école il en allait autrement, il était remuant, bavard, enthousiaste, il racontait des histoires à dormir debout, qu'elle était revenue d'Espagne et qu'il pouvait inviter ses copains, qu'elle avait perdu la clé de la maison dans un bar, que sa moto ne marchait plus et qu'elle vivait pieds nus pour ne pas flinguer les tomettes. À sa maîtresse, il jura qu'elle était rentrée pour de bon, c'est vrai, elle ne sortait pas beaucoup de peur de s'enrhumer.

Averti par la directrice, Marc se montra digne et soucieux. Pauvre gosse. Sa mère, elle lui manquait. En lui-même, il résolut d'enrayer cette imagination pagailleuse et de trouver illico l'antidote approprié. Moment doux et cruel. Le soir il monta voir Pierre dans sa chambre, s'assit au bord du lit, lui lut quelques pages d'un roman qui traînait, le cajola, puis d'un air ému lui annonça la triste nouvelle, conséquence de ses bavardages à l'école. « Hé oui, tu vas être placé. » « Placé ? » « Oui. Dans une autre famille, une autre région, j'ignore où. C'est une mesure judiciaire. On ne se verra plus. » Pierre se mit à trembler, à suffoquer ; il piqua une crise de nerfs et son père eut un mal de chien à le convaincre que rien n'était fait, que tout pouvait s'arranger s'il le souhaitait. Longtemps après, l'enfant continuait à trembler. « Tu as forcément trop parlé, disait son père en lui caressant le visage avec tendresse. Tu sais très bien que ta mère n'est pas revenue. Tu es un menteur, fiston. » Il murmurait, dans le cercle rasant d'une lampe de chevet : « Les gens qui vous veulent du bien vous font parfois du mal. Quand une mère quitte son foyer, l'administration cherche la petite bête, il faut être prudent. Une maîtresse d'école peut estimer à tort ou à raison qu'un enfant n'est pas heureux chez lui. Que fait-elle ? Elle le signale aux autorités. Tu n'en sais rien, personne n'en sait rien. Que fait la police ? Elle sonne à la maison, bonsoir messieurs-dames, elle repart avec l'enfant et c'est fini. Plus d'enfant, plus de famille. Il avait un père : il ne l'a plus, c'est pour son bien. Si théoriquement la mesure est provisoire, il n'est pas d'exemple qu'il soit retourné dans sa maison d'origine. Et pour cause elle n'existe plus. Car tu ne penses pas qu'après cette petite descente au coin du feu, ça repart comme en quarante. Le père devient givré, il perd son emploi, il n'a plus un sou pour se battre contre la loi... » Marc dévidait sa vénéneuse histoire d'une voix mourante, épiant l'enfant suspendu à ses lèvres. « Pour l'État c'est tout bénef, ça fait tourner les orphelinats, les asiles de fous. » Il lui posa un doigt sur la bouche et n'eut pas besoin d'ajouter motus en éteignant la lumière. Un scorpion se posa sur la langue de Pierre et n'en bougea plus. À l'avenir il garda son imagination pour lui. Jusqu'au jour où il sut écrire.

Dix ans furent balayés d'un souffle sur une charlotte au cassis, et quand il eut bu son rhum Pierre lâcha, soulagé : « J'ai eu les jetons. J'ai vraiment cru qu'elle allait se ramener. » « Elle aurait d'abord appelé, fiston. » « Elle s'est bien tirée sans prévenir. » Il eut beau rire et se goinfrer, répéter sur tous les tons qu'elle serait drôlement jalouse en les voyant s'amuser, elle ne débarqua pas à l'improviste. Il monta se coucher à moitié malade et campa sous la fenêtre où elle ne risquait pas de le trouver. Dès qu'elle faisait mine d'approcher, semant des gouttes d'eau sur le plancher, il serrait les poings et criait dans sa tête : Va-t'en, je ne t'aime pas. Elle cessa de l'importuner. Jusqu'au jour où il sut écrire.

Il évitait ses copains, ne levait plus le doigt en classe, ne savait plus tout sur tout, il était pressé de rentrer chez lui. Son bulletin trimestriel porta la mention « rêveur ». Rêveur, dissimulé, sournois, c'était pareil. La méfiance de Marc redoubla. Quel soupçon n'osait-il pas avouer ? À quoi pensait-il dans sa bouche cousue ? Quand ses yeux se perdaient dans les siens, comme si rien ne leur échappait. « T'es où ? » « J'ai sommeil. » À quoi pensait-il quand son livre lui tombait des mains et qu'il sombrait ? En pleine nuit, Pierre se réveillait au déclic de la lampe et regardait son père aller et venir, s'agiter, ouvrir son sac, feuilleter ses cahiers, retourner les poches de son pantalon, soupirer. Il était gêné comme si c'était lui l'espion. Son père avait sûrement une bonne raison d'inspecter ses affaires. C'est ainsi quand un enfant parle trop, ou pas assez.

Pour lui tirer les vers du nez, Marc fit appel au bon vieux ressort pédagogique, l'écriture. Il acheta un cahier sur lequel Pierre dut noter ce qui lui passait par la tête, une phrase par jour. *Ton chien sent mauvais, tu devrais lui brosser les dents. Il a peut-être une carie. Je t'ai déjà dit que je n'aimais pas le boudin noir qui pique. Achète-moi de nouveaux rollers ou je ne ferai plus ton lit.* D'instinct, pareil au castor butant les pierres à contre-courant, il dressa le rempart de quelques phrases entre le monde extérieur et lui-même, un cercle fermé au sein duquel il put s'approprier le mystère des mots qui le troublaient en lisant. Fin mars, au lieu de la phrase quotidienne et des caricatures griffonnées dans les coins, apparut un dessin colorié sur toute la page, un charivari d'oiseaux en vol, d'arbres calcinés, de mains, d'objets allant de la bouteille au peigne, et du masque à gaz au couteau de cuisine, avec une langue énorme et deux yeux exorbités où l'on pouvait compter les veines, la sphère noire d'une bombe assortie d'une bulle où se lisait BOUM. « C'est quoi ? » « Le printemps. » « Le printemps de Prague, alors. Demain tu tâcheras d'expliquer ça en quelques mots. » Pierre n'en fit rien, impossible d'en savoir plus ; souvenirs et ressentiments couvaient sous la cendre.

À onze ans, il mangea pour la première fois du saint-honoré, il s'étourdit de crème et de rhum. Une bonne soirée comme il n'en avait pas eu depuis longtemps. Ils racontèrent des histoires drôles, des charades, Pierre chanta. Son père vit rayonner un fils si proche de lui qu'il en fut déconcerté. Entre deux bons mots, son père lui glissa une révélation : il s'était toujours douté que Nelly ne viendrait pas les années précédentes, elle avait trop honte. « Maintenant c'est fini, fiston, elle a un autre enfant. » « Elle n'a qu'à l'amener. » « Encore faut-il qu'elle en ait envie. » « Nous aussi faut qu'on en ait envie. » Décision fut prise de l'oublier et Pierre se résigna légèrement à cet abandon. Sa mère n'était plus qu'un monde inexistant, un enfantillage. Trop souvent il l'avait loupée de justesse, à une seconde près tu la voyais, c'est bête ! Il avait trop attendu, trop souvent déballé des paquets et lu des lettres bâclées par la fille de l'agence qui ne savait pas accorder le verbe être. Trop souvent il était resté seul à la maison, un jour, deux jours, deux nuits, attendant le retour de Marc parti la chercher à Paris, et celui-ci rentrait piteux, pas rasé, l'estomac détraqué, bredouille à part une odeur vanillée sur les joues. Aujourd'hui tu l'as respirée, fiston, la prochaine fois tu la verras. La prochaine fois il aidait son père à se coucher, sans dire un mot. Marc n'allait pas la chercher, il allait boire.

Débarrassé de sa mère, il éprouva d'abord un sentiment de liberté. Il n'eut plus à rougir de son absence, et durant un long moment il cessa d'être un enfant honteux. Jusqu'au jour où il raconta son premier souvenir – en l'écrivant.

Sa onzième année fut un âge d'or. Il était grand, fort, la peau très pâle, le visage mobile où les sensations filaient comme l'éclair, il aimait les boissons alcoolisées, les livres palpitants et les filles. Au collège, il n'y en avait pas une qu'il n'eût envie d'embrasser, bien qu'il n'en eût embrassé aucune. Ce pouvait être la dernière de la classe, avec sa lèvre inférieure humide, ou la légère prof de gym qui le défiait à la course sur la cendrée du stade. Il aimait avoir des copains, mais il aimait aussi faire leurs poches et pratiquait en amitié le noble usage du ce-qui-est-à-moi-est-à-toi. Il n'était pas violent, il vénérait apparemment la loi du plus fort mais, obligé de se battre, une mouche le piquait et il frappait jusqu'à tomber. Il était drôle, il avait ses fans. Il espérait un jour valoir ce père qu'il admirait et plaignait en même temps. Il le trouvait beau, brillant, malin, il ne voulait pas savoir son âge ni se faire à l'idée qu'un jour il serait vieux. Plutôt mourir que de le voir décliner. Déjà qu'il avait la peau striée sous les yeux ; déjà qu'il avait un mauvais sommeil et qu'il appelait Nelly en dormant, c'était affreux ce « Nelly » comme un cri d'oiseau perdu dans l'obscurité. Comment pouvait-il encore s'intéresser à cette bonne femme ! Pierre se cachait sous les couvertures, et le matin on ne parlait de rien.

Entre son père et lui se tissaient les liens d'une amitié que les chamailleries n'entamaient plus. Marc restait égal à lui-même, il s'amusait de voir trembler son fils, piquer un fard, mais il lui savait gré d'être là, soumis, confiant, jamais rancunier. Il lui avait appris à lire, il lui apprit à considérer la nuit comme un livre et les étoiles comme les pages d'une histoire sans fin, la fable mêlée des hommes et des dieux, la tienne et la mienne. L'été, assis dans le noir sur le ponton où clapotait la Dive, il lui racontait comment tournait la terre et la lune, et la mer, qui deux fois par jour, cherche désespérément à rejoindre la mer par-dessus les continents, à se mordre la queue. On est comme sur un bateau, disait Pierre, sentant bouger le ponton sous ses fesses, et peut-être l'astre lui-même lancé dans les ténèbres. Il était vaguement effrayé par cet univers en proie à la bougeotte, où les glaciers fondaient, où l'océan se repliait pour se déplier, où le feu grouillait sous le socle fendillé des continents, où lui-même était un point vivant, maillon d'un avenir improbable où les équilibres risquaient de succomber au fait qu'il grandirait, qu'il serait un homme et son père un homme âgé. Il saurait alors inverser les rôles et protéger celui qui l'avait protégé contre sa mémoire et sa mère. Comment s'y prendrait la fatalité pour les désunir, les rendre moins père et fils, eux qui voulaient former une seule et même goutte d'eau ?

Le dimanche, ils allaient au tennis de Lumiol, un club tristounet qui s'enorgueillissait aussi d'un golf miniature et d'un ping-pong, où l'on avait toujours l'impression qu'il venait de pleuvoir ou qu'il allait pleuvoir, qu'il faudrait sortir la serpillière et que la partie n'aurait pas lieu. Le fils arborait de longs tee-shirts voyants imprimés de sigles ; le père, vieux briscard de la terre battue, portait des shorts couleur de lait caillé, des chemisettes froissées prises telles quelles dans la pile du linge à repasser, un jersey torsadé rouge et blanc cédé par quelque lord, trente ans plus tôt, à la guilde des vide-greniers européens. Ils n'avaient pas commencé à jouer qu'ils râlaient, s'en prenaient aux balles pelées, mal gonflées, trop dures, ou tout bonnement oubliées. Par qui ? À les entendre vociférer on aurait cru qu'ils allaient en venir aux mains. Sous l'accoutrement sportif ils expectoraient les mauvaises humeurs de la semaine. Chacun trouvait le style de l'autre absurde et chacun le rendait responsable de la piètre qualité du jeu. Les sentiments haineux qui s'élevaient alors formaient une couche épaisse et noire au-dessus du terrain. Il se mettait à pleuvoir ; on a bien joué, concluait invariablement Pierre.

À quelques jours de son anniversaire, il devina qu'il ne vivrait pas deux années comme celle-là, mais qu'y pouvait-il ? Ce fut d'un cœur serré qu'il ouvrit le tiroir aux bougies pour couper le bout noirci des mèches. Le dix-sept avril il verrait la cruauté dans les yeux du père qu'il chérissait et désormais c'en serait fini des grands gâteaux fantomatiques annoncés par le bruit sec du disjoncteur. Heureusement qu'il savait écrire.

Ce soir-là, par un temps maussade et venteux, ils allèrent étrenner le tennis municipal de la Dive, une surface rouge au bord de l'eau. Canards et cygnes les regardaient à travers les mailles zinguées. Pierre mena cinq à zéro, puis trente à rien. Il fit un retour gagnant : quarante à rien, puis jeu sur un lob imparable que son père salua d'un éclat de rire après avoir couru comme un dératé. « Champion ! » dit-il en trottinant vers le filet pour serrer la main du vainqueur. Il riait toujours et Pierre rit à son tour, un peu gêné, c'était la première fois qu'il battait son père au tennis, il l'avait même écrasé. « Si tu joues comme ça à douze ans, dans un an tu m'expédies à l'hosto. » La partie reprit. Prêt à rendre tous les points qu'il avait gagnés, à retourner dans la peau du fiston novice, Pierre suait sang et eau pour renvoyer, bonnes ou mauvaises, des balles vicieuses qui cherchaient les coins, manifestant bruyamment son admiration.

– Te fous pas trop de ma gueule, dit Marc.

– Mais non, je t'assure.

– J'en ai marre, rentrons.

Le ciel bas charriait du gris de plus en plus foncé, des gouttes et des flocons volaient dans l'air froid ; la rivière était haute à déborder. Marc se taisait, avançant d'un bon pas qui maintenait son fils derrière lui. « On a bien joué, non ? » Le père fit entendre un reniflement. « Pourquoi tu ne dis rien ? » demanda Pierre. Arrivé chez eux, il se précipita pour boire à l'évier mais il ne l'atteignit pas, tiré brutalement en arrière par le capuchon du survêtement. « Va dans ta chambre. » « Pourquoi ? » « Vas-y ! Et si ça te fait rire ne te prive pas, les murs sont épais. » Quand au bout d'une heure son père le fit redescendre, il était toujours au milieu de la cuisine, la serviette-éponge autour du cou, les yeux fixés sur le robinet. « Tu as ri tout à l'heure au tennis, tu te souviens ? » « On a ri tous les deux. » « Tu crois ? Je me demande bien quand je t'ai déjà entendu rire comme ça ? » Il ne tournait pas la tête, il avait les lèvres serrées. « Sois gentil, aide-moi à me souvenir. Ris comme tout à l'heure au tennis. » Pierre avala sa salive. « Tu veux que je rie ? » « C'est ça. » « J'ai soif, et si je ne... » « Tu boiras quand tu auras ri. » « J'y arriverai jamais. » « RIS. » Pierre se racla la gorge et voulut s'en tirer par le hi-hi de celui qui rit mais ne trouve pas ça drôle du tout. Sous le regard de son père, il recula comme s'il se brûlait. « Tu vas rire, espèce d'andouille ! Tu vas rire comme au tennis et comme je vous ai entendus rire ta salope de mère et toi, la veille de son départ. Vous vous foutiez de ma gueule, vous combiniez dans mon dos, vous écoutiez vos musiques de chtarbés, qu'est-ce qu'elle te racontait ? Qu'est-ce qui vous faisait tant marrer ? » « Rien », fit Pierre, les genoux tremblants. « Vous vous marriez et je te conseille de rire comme il faut. » Voyant son fils tenter lamentablement des ha ! ha ! de pitre, il rit lui-même, HA ! HA ! une rigolade aigre et désespérée qu'il vint lui jeter au visage, HA ! HA ! HA ! « Tu l'entends, ce rire, Pierre ? Tu l'entends bien ? Moi je ne veux plus jamais l'entendre, il m'a tué. Ris comme tu veux, désormais, mais pas comme ça. Garde-le pour ta mère, et si c'est trop dur ne ris plus. Maintenant bois. »

Au dîner, l'excitation du rhum avait balayé les tensions. Sept bougies rouges et cinq bleues moururent sur le glacis vert d'une brioche entourée de crème anglaise. *Longue vie au plus aimé des fils*, disait un message à l'encre de chocolat. À la troisième part Pierre eut un vertige, la sueur aux tempes et les joues en feu, il partit d'un rire dément comme s'il vomissait, pouffant à longs éclats forcenés, se mordant les lèvres et riant de plus belle à travers la douleur et les larmes, ne comprenant pas ce qu'il lui arrivait, mort de peur.

En face de lui, bien coiffé, rasé, douché, son père attendait en souriant qu'il se calme.

– Tu fais plaisir à voir, fiston. J'ai peut-être forcé sur la gnôle en arrosant la brioche, mais je ne regrette pas.

Comme s'il parvenait aux derniers degrés d'un escalier, le rire de Pierre faiblit et cessa.

– Pardon, dit-il, et il fut encore la proie d'un énorme soupir.

Des larmes roulaient sur ses joues, il ne savait plus où se mettre. Il se pencha jusqu'à son verre débordant et lapa, les mains sur la table.

– C'est moi qui ai tort, protesta son père, tu es toujours sous le coup de l'émotion. Je ne sais pas ce qui m'a pris, sûrement l'alcool. Quand je bois, je pense à elle.

– N'y pense plus, dit Pierre.

Il était presque suppliant. C'est à lui qu'il adressait les mots autant qu'à son père. On avait dit qu'on l'oubliait. On l'avait rayée, enfermée dans un vœu. Elle était comme une sirène attirée par la lumière à la surface du rhum. Elle apparaissait. Elle n'acceptait toujours pas d'avoir disparu.

– C'est bon ce truc.

– C'est le tord-boyaux d'un mauvais payeur, dit Marc.

Il se resservit de manière chaotique et s'en mit sur les doigts.

– À elle...

– Ça me ferait bien mal ! dit Pierre. Saloperie !

Il ne savait plus ce qu'il disait. Sa voix lui faisait l'effet d'un papillon malade entre les murs.

– Un peu de respect. C'est elle qui t'a fait.

– Toi aussi.

– Si peu.

À travers la table Marc toucha le verre de son fils avec le sien.

– À ta maman chérie, fit-il d'un ton railleur. Tchin-tchin.

– À cette sale pute ! répondit Pierre.

Le père eut un haut-le-corps. On aurait dit qu'il était visé par l'injure. Il le pria de retirer immédiatement ce qu'il avait dit.

– Répète après moi : Excuse-moi, maman chérie.

– Ça va pas la tête ! Qu'est-ce que je lui ai fait ?

– Tu nous as gâché la vie.

– Moi ? fit Pierre, décomposé, cherchant en vain le regard de son père.

– Je n'en sais rien. J'essaie de me mettre à sa place. Elle n'a pas tous les torts.

– Je vous ai gâché la vie, moi ? C'est moi qui suis parti faire un gosse ailleurs ?

Marc le pria de baisser le ton.

– J'ai dit ça comme ça. Pour que tu l'oublies, pour que tu souffres moins. Tu crois que c'est marrant de te voir faire la tronche un jour sur deux ? Des gosses, elle en a sûrement plusieurs...

Comme il baissait la tête en bafouillant des injures, Pierre la vit. Elle avait changé depuis l'autre jour. Elle aurait bientôt les cheveux blancs et la bouche craquelée du vieillard. C'était lui qu'elle regardait. Ce regard triste et gentil durait depuis six ans.

– ... mais attends seulement qu'elle revienne et tu ramperas, tu ne me connaîtras plus, ce sera comme avant. Un brave petit toutou à sa mémère.

Se cramponnant à la table, Pierre se leva, tout pâle, beurré, ça tournait.

– Je ne veux plus qu'elle foute les pieds chez nous. Si jamais elle revient c'est moi qui pars.

Son père éclata, le pria de répéter cette énormité, il y avait des menaces qu'on n'agitait pas devant lui.

– Ta mère m'a déjà fait le coup, p'tit con ! Des fois je me demande si vous n'êtes pas de mèche tous les deux. Barre-toi, fous le camp d'ici, la porte est là. Fais comme elle, pourri.

Il prit les bougies qui flottaient dans la crème anglaise et, les ayant cassées l'une après l'autre, il en fit un petit tas dans l'assiette de son fils.

– T'en penses quoi ? C'est ma vie depuis que t'es né.

L'année suivante, Pierre travailla moins bien en classe, courut moins vite, et sa prof de gym lui reprocha d'avoir souvent l'haleine fleurie. Vous avez quoi contre les fleurs ? Deux jours d'exclusion. Un soir de compétition, il embrassa une fille sous un tilleul du stade. Elle avait les cuisses nues, sa langue était fraîche. Elle avait tellement la chair de poule qu'il se demandait si c'était la varicelle. Il l'attendit à la sortie des vestiaires et la raccompagna chez elle. Il lui dit qu'elle avait l'air d'une fleur et elle eut de nouveau la varicelle. Il était certain qu'elle l'aimait, qu'il avait une petite amie. Le jour d'après elle était blessante. C'était un baiser comme ça, pour fêter son passage en troisième, un baiser d'avant les vacances, pas de quoi s'énerver. Elle faisait de la danse, elle avait de beaux mollets et des petits seins fermes. Il eut un mal fou à l'oublier. À la rentrée elle eut des remords, mais trop tard il aimait Laura. En grandissant, il s'apercevait qu'il n'était pas un Lumiolais comme les autres. Ses meilleurs copains faisaient parfois bloc à ses dépens. Il apprenait qu'on s'était bien marré l'autre soir et il n'avait pas été invité. Des baignades et des sorties s'organisaient sans lui. « On était en boîte, samedi. T'aurais pas pu rentrer. Ils acceptent pas les permis de séjour. » De même à l'Aramis, le café du collège à l'ombre des platanes, vieux repaire de fils à papa. Là se décidaient les riches heures du week-end, les mondanités. Pierre ne recevant pas, n'était pas reçu. Il entendait parfois des choses bizarres. C'était particulier, les Loupiens, deux solitaires un peu timbrés. Une sorte d'émigrés franco-français arrivés à Lumiol poussés par le vent, mais d'où venait le vent ? Si Pierre ne voulait pas d'histoires, il devait s'écraser, montrer patte blanche, souffler les réponses aux copains, marquer des buts les jours de match. Au café c'était lui qui rinçait la dalle. Et alors ? Son père grugeait les escrocs, il récupérait l'argent volé. Le fils n'avait qu'à raquer.

Pour ses treize ans, il eut à dîner une fondue bourguignonne. Joyeux anniversaire, fiston. Ils mangèrent énormément, ils avaient les yeux irrités par les vapeurs d'huile. De temps en temps Marc jetait un morceau de barbaque à son chien qui rôdait et chopait la pitance au vol. De temps en temps il servait du vin rouge à son fils. Ils avaient d'autant plus d'appétit qu'ils parlaient peu. Ils se lançaient des coups d'œil par en dessous. Méfiance avec les anniversaires.

– Alors mon petit rêveur ?

– Alors mon petit papa ?

– Alors quoi, mon petit rêveur ? On se régale ?

– Comme toi, mon petit papa. C'est tellement bon que j'aimerais avoir deux estomacs. J'aimerais aussi que ton clébard arrête de voler ma viande.

Au dessert, moka. Marc sortit la bouteille de vieux rhum et les verres à liqueur. Ils en burent trois chacun. Pierre en aurait bien pris un quatrième, pour faire durer la soirée, pour qu'elle soit là toute la nuit. Elle me regarde si gentiment. Elle ne dérange personne, on ne sait pas qu'elle est là, sauf moi. Motus.

– Une petite goutte, alors.

Il regarda son père lui servir une rasade aussi généreuse que les autres. Demain, il aurait des semelles de plomb. Il aurait tout faux en maths, zéro en français, un avertissement pour insolence, il enverrait balader les profs et il n'en aurait rien à foutre.

– T'as vu, papa, on n'en a pas parlé.

– De qui ?

– Hé non, reprit Pierre, pas du tout parlé.

Il savait très bien ce qu'il voulait dire à présent. Quelque chose de gentil. Mon petit papa, on n'est pas si mal tous les deux. On a déjà surmonté bien des ennuis. On s'en sort à la longue, on se débrouille pour trouver à la vie des bons côtés qu'elle n'a pas. C'est grâce à toi. Les reflets se mélangeaient sur le rhum. À la dernière seconde, il marmonna ces mots pâteux :

– Cette fois, je crois vraiment qu'elle est morte, pas toi ?

N'entendant pas de réponse, il répéta la question.

– Si, dit Marc et, se dressant d'un coup, il déclara que cette huile chaude empestait.

Avec des gestes saccadés il porta le chaudron à la cuisine et se passa le visage à l'eau froide, puis la nuque. Il resta un bon moment penché sur l'évier, une main derrière la tête, anéanti mais soulagé. Quelle angoisse. Il revivait. C'était dingue. Il avait un complice à la maison, le propre fils de Nelly, le brave petit Pierrot. Cette fois elle ne pouvait plus rien contre lui. Cette fois elle était bien morte, hé oui, oubliée, c'est cadeau fiston !

X

Deux jours plus tard, au volant du 4 × 4, il en était déjà moins sûr. Il crevait de peur et de rage. Saloperie de gamin ! Il roulait comme un cinglé pour ne pas l'assommer, doublait tout ce qu'il voyait, déboîtait, fonçait, il cherchait à rattraper une petite marchande de fleurs qui lui riait au nez.

– Où on va ?

– Ferme-la.

J'ai fait quoi ? pensait Pierre, mains sous les cuisses au bout de la banquette. Il n'avait plus un poil de sec. On allait se planter. Ce matin son père l'avait amené au collège, ce soir il était venu l'attendre au cours de gym, une première, et depuis on longeait la Dive à fond la caisse, on frôlait d'énormes camions qui surgissaient du brouillard, on était comme en fuite.

– J'ai mal au cœur.

Les vitres descendirent, un boucan d'air glacial s'engouffra. Il grelottait dans son survêtement, mort de fatigue après le basket, alors pitié ! Risquant un œil vers son père, il vit une expression si laide et tordue qu'il se garda bien de la ramener. Il était six heures, la nuit tombait. On avait franchi le pont du barrage, et maintenant l'on traversait de vastes étendues vallonnées sans maison. S'il voulait monter au col c'était râpé, il commençait à neiger. Et la sableuse ne passerait pas avant demain.

– C'est fermé ! cria-t-il, soulagé à la vue du panneau DANGER qui clignotait sur l'asphalte et d'un ruban de plastique orange entre deux arbres.

Marc évita le panneau de justesse et fit éclater le ruban dont un morceau, resté accroché, se mit à fouetter le pare-brise.

– T'allumes pas les phares ?

– Mêle-toi de tes fesses.

En sortant du bois, une lumière froide et rouge s'empara d'un ciel crépusculaire, tapissant les collines enneigées de reflets étincelants, mais à peine eurent-ils baissé les pare-soleil qu'il neigeait à flocons serrés. Pierre avait eu le temps d'apercevoir dans son renfoncement l'à-pic du ravin des Limites et, tout en bas, la centrale comme engloutie. Qu'est-ce qu'on foutait là, dans cette bagnole en rodage ? Il était écœuré de fatigue et de stress, les lacets n'en finissaient pas, la voiture embardait, patinait. Devant les phares éteints on ne voyait plus qu'une poussière blanche et les contours estompés des tournants.

– C'est encore loin ?

– D'après toi ?

– D'après moi tu vas bousiller ton 4.

– C'est toi que je vais bousiller.

Il donna un coup de volant et la voiture fit un tête-à-queue pour s'arrêter au bord d'un pré en pente où pointaient çà et là des arbustes noirs. Il n'eut pas plus tôt serré le frein à main qu'il enfila ses gants et pivota vers son fils. L'estomac noué, Pierre l'entendait respirer bruyamment, tantôt le nez, tantôt la bouche, il devinait ses yeux qui l'observaient, les secondes passaient.

– Petite salope, on est où ?

– J' sais pas.

– J' te conseille de répondre !

– On ne voit rien.

D'une main gantée Marc essuya le pare-brise qui fit entendre un miaulement.

– On est où ? dit-il en saisissant l'oreille du gamin pour le forcer à lever la tête, à regarder au bout de son nez la vitre noire de flocons.

– On est là.

– Conard.

Les essuie-glaces repoussèrent la neige et le pinceau des phares ouvrit un tunnel lunaire en face d'eux.

– Alors ?

– J' suis jamais venu.

– Descends !

Il avait déjà si froid qu'il n'éprouva rien quand il fut dehors, de la neige jusqu'aux mollets. Le pinceau des doubles phares s'enfonçait dans la brume. Il mit son capuchon. Une portière claqua. Comme il décrochait le morceau de plastique pris autour de l'antenne, son père le saisit par la manche et le tira sur la pente enneigée. Il faisait de grandes enjambées, Pierre trébuchait derrière lui, s'étalait, suppliait, il voyait le champ s'incliner là-bas sous la grisaille et basculer dans une espèce de nuit, des souffles glacés montaient.

– Non ! hurla-t-il, épouvanté. Non ! et il se laissa choir, mais son père le tenait toujours et continuait d'avancer, sourd à ses cris, traînant dans la neige un fils à moitié déshabillé, le ventre à l'air.

– On est où ?

– Au ravin, sanglota Pierre qui tentait de s'agripper à l'herbe glacée.

– T'es déjà venu ?

– Oui.

– Debout !

Il se tint flageolant face au vide, une dénivellation d'au moins cinq cents mètres, citée par tous les dépliants comme la plus spectaculaire d'Europe. Il devinait une silhouette sur le côté.

– Qu'est-ce que tu venais foutre ici ?

– C'est toi qui m'as amené.

– Et pourquoi je t'ai amené ?

– J'ai oublié.

– Et ça ?

Il y eut un bruit léger, un rayon lumineux jaillit, et dans la neige il reconnut son cahier de brouillon.

– Ramasse !

Trois pas le séparaient du cahier. Les flocons voletaient dans la lumière de la lampe, autour c'était sombre, noyé de brume. On ne voyait pas où commençait le ravin. Il ne bougea pas.

– Ramasse ! cria son père en le bousculant, et Pierre tomba sur les mains.

Horrifié à la pensée du vide proche, il patina sur les genoux jusqu'au cahier.

– Lis.

Il n'arrivait pas à tourner les pages, la lumière dansait, les flocons s'écrasaient sur les mots. Dans ses chaussures les orteils recroquevillés repoussaient la pente. Il ne savait pas quoi lire, sûrement ça, le brouillon d'une rédac où son père avait griffonné *salopard* en haut de la feuille. À travers ses larmes, il essaya de suivre le fil de l'encre et de retrouver son histoire mal fichue, un souvenir écrit pour la prof de français, une rengaine à lui qu'il se racontait au collège, au tennis, en vadrouillant à bicyclette, en dormant, et chaque fois qu'il était un peu trop seul pour avoir une autre pensée. Il se rappelait quand sa mère était là et son étonnement quand elle avait disparu, d'une seconde à l'autre, comme une lumière qui s'éteint. Ce matin-là, il avait dû s'habiller lui-même et recommencer autant de fois qu'il fallait. Il était perdu. Il ne lui restait plus aux lèvres qu'une petite question. Son père s'impatientait, lui répondait : « Oui, Pierre », « Tu le sais mieux que moi », « Bien sûr que non, elle a horreur des perroquets », « Répète ça encore une fois et c'est moi qui m'en vais. » Mais c'était plus fort que lui, Pierre s'obstinait : « Est-ce qu'elle va revenir ? » Ils étaient allés déjeuner chez Georges avec des amis. « Pour moi c'est un sale coup, avait dit son père, mais pour le petit c'est encore plus dur. » Il lui passait la main dans les cheveux, ça l'étourdissait. Il était triste et fier en même temps. Au dessert on avait trinqué sans raison précise. Georges voulait faire un tour chez les ferrailleuses, mais son père en avait sa claque de tous ces minables, ils avaient quitté la table. Il savait où trouver Nelly, il fallait arriver avant la nuit. Il y avait beaucoup d'oiseaux dans le ciel à tourner en rond au-dessus des champs. Chaque fois qu'un rayon de soleil apparaissait, Marc disait qu'elle leur envoyait du beau temps. Ils avaient roulé vers les collines, ils étaient montés si haut qu'ils avaient dû s'arrêter à cause du verglas dans un endroit désert. Son père lui avait dit d'aller la chercher. En sortant de la voiture, il avait eu la frousse à la vue d'un trou vertigineux où des oiseaux planaient. Il s'était retourné vers le 4 pour faire signe à son père, mais la vitre était remontée. Il avait continué son chemin un moment. C'est alors qu'il avait retrouvé sa mère, il n'en revenait pas. Il avait crié : « Elle est là ! » et son père avait couru de toutes ses forces à travers les herbes. Il l'avait secoué en hurlant. Il ne remarquait rien : la musette de maman se balançait à une branche d'arbuste au-dessus du vide. « Vas-y, lui avait dit son père, moi je suis trop lourd. » Il avait rampé jusqu'à l'arbuste, sans regarder en bas. Il se donnait du courage en imaginant qu'elle était à l'intérieur de la musette, sage et silencieuse comme un livre fermé. Il l'avait rapportée, mais son père s'était moqué de lui, une vieillerie bonne à jeter, pas la peine de l'ouvrir.

– *Quelques mois plus tard j'ai retrouvé la musette sous l'escalier.*

Il n'avait pas dit le dernier mot que son cahier volait dans le ravin. La lumière s'éteignit.

– Qui d'autre a lu ça ?

– Personne.

Pierre voulut se retourner, mais une main se posa sur sa nuque, une autre le bâillonna.

– Tu ne comprends pas ce que ça veut dire, fermer sa gueule, la fermer ?

Il ne pouvait plus respirer. Il était flasque et sans volonté, un voile rouge lui tombait sur les yeux. Il s'accrochait machinalement à l'avant-bras qui l'étreignait, la neige fourmillait. Le cauchemar prit fin, les doigts qui l'étouffaient lui frictionnèrent les épaules et son père le serra contre lui.

– C'est n'importe quoi ! dit-il d'une voix lasse. Tu vas choper la mort avec ces conneries.

Il le couvrit de sa veste fourrée, l'obligea à porter ses gants et, l'ayant habillé, il continuait de réchauffer Pierre en le ramenant à la voiture auréolée par la lumières des phares.

Quelques minutes après ils étaient chez Georges ; ils dînaient dans l'ambiance enjouée du vendredi soir, avec les gros bonnets attablés. On servit à Marc un double scotch qu'il mit entre son fils et lui. Son regard errait dans la salle, effleurant les dîneurs, le juge, le maire, la police, le proviseur du lycée Galilée, le corps médical, les épouses, il souriait.

– Je les connais tous. C'est bourré de pognon. Des sales cons, mais ils nous font vivre, alors sois aimable et tiens-toi droit. Passons une bonne soirée. Qu'est-ce que tu veux : steak au poivre ou brochette ?

– Steak, dit Pierre d'une voix blanche.

– Et en entrée ?

– Comme toi.

– À ta place j'essaierais les écrevisses.

Il disait toujours – à ta place ; et toujours – si j'étais toi ; et toujours – nous sommes un vieux couple. Il voulait mettre du liant, faire plaisir coûte que coûte au gamin qui n'avait plus la tête à rien, sauf à tomber d'émotion. Il explorait nerveusement la carte en citant les plats, les œufs en meurette, le foie gras maison, les ravioles au saumon, j'hésite entre les ravioles et les écrevisses. Sa voix claire suivait une idée, son regard trouble en suivait une autre, épiant le pâle rescapé qui tardait à reprendre vie.

– Écrevisses ! lança-t-il en faisant claquer le menu. On attaque avec ces demoiselles et tu cesseras de me regarder comme un homme des bois.

Il se frotta les mains, les posa sur la table et contempla son assiette vide, l'air absent. Il n'avait déjà plus envie de parler. Il n'allait pas s'écraser devant ce gugusse. Qu'il s'estime heureux de se taper la cloche après ce qu'il avait fait. Un jour, il lui mettrait ça noir sur blanc, ce serait trop tard pour se réconcilier autour d'un brave petit gueuleton des familles.

On leur apporta les écrevisses et Pierre n'y toucha pas. Il voyait son père manger en silence. Un moment d'accalmie, pas davantage. Il ne se fiait pas aux nerfs de Marc. Il avait l'oreille en feu, le ventre râpé, les os meurtris partout. On aurait pu lui trancher l'oreille sans qu'il ressentît la douleur, sans qu'il y eût une goutte de sang. Il ne tiendrait pas jusqu'au dessert. Il en avait trop dit. C'était pire que tout ce qu'on pouvait imaginer. Et Marc n'en savait pas le tiers du quart. Aucun père ne croirait son fils assez dégueulasse pour trahir par jeu, le bec enfariné de bons sentiments. On l'a prévenu, mais il veut vérifier si c'est vrai, si l'on n'exagère pas en lui disant que le feu brûle et que l'eau remplit les poumons, et qu'il a le pouvoir, lui le fils, de faire mal, de détruire sa famille en quelques mots, pardon, pardon. Il allait tout avouer maintenant.

– Papa...

– J' savais pas que les chiens battus aboyaient, fit Marc d'une voix entrecoupée de succions.

Il savourait les crustacés. Il décortiquait les gros, il mettait les petits en entier dans sa bouche et les mastiquait avec soin. Sa serviette semblait beurrée de sang. Il avait complètement oublié son fils quand par hasard leurs regards se croisèrent. Pris de court, une écrevisse entre les dents, il rougit violemment.

– Non mais tu t'es vu ? J'ai l'impression de dîner avec un loup. Va te coiffer aux toilettes.

Et il lui tendit son peigne à travers la table.

Deux minutes après, Pierre se rasseyait. Son père avait fini les écrevisses, il souriait à la ronde. C'était curieux, les souvenirs. Ça variait suivant les individus. « Moi j'en ai, toi non, ou tellement traficotés qu'on n'appelle pas ça des souvenirs. C'est du blabla, une mémoire hystérique de bonne femme, répugnant, stérile. Ce ravin, qu'est-ce que tu sais de lui ? Rien. Tu pourrais jurer que je t'ai emmené là-bas ? Même pas. Moi je peux t'en parler. Tu n'étais pas né qu'il me flanquait déjà les chocottes. » Quand ils s'étaient installés à Lumiol, Nelly et lui, ils avaient sillonné la région à moto, toutes les vallées, tous les cols, on n'imaginait pas le nombre de failles qui s'ouvraient dans ce pays. Le plus singulier, c'était le ravin des Limites. On avait amputé la colline de son versant nord pour en faire du ciment et monter la centrale. Et maintenant le trou restait béant. On ne pouvait ni le détruire ni le boucher. Il était là pour l'éternité. Une zone interdite au public. Si quelqu'un tombe au fond, on n'est pas forcé de le savoir. « Imaginons une seconde qu'elle ait dérapé dans cette oubliette... » Cette peur l'avait miné durant des mois, jusqu'au moment où elle avait daigné se manifester. Et même après il ne s'était pas endormi une seule fois sans la voir basculer dans le vide avec sa moto. « Toujours les mêmes images, elle tombe au ralenti, fiston, si lentement que j'ai l'impression de pouvoir la prendre dans mes bras comme on rattrape au vol un enfant qu'on a lancé vers le ciel. Elle me regarde et nous nous parlons, je n'entends rien. Soudain c'est un point qui disparaît, soudain je suis seul au monde... » Il fit un clin d'œil où brillait un pleur sans larmes : « ... enfin, presque. » Il était à nouveau sombre et menaçant, ses lèvres pâles tremblaient.

– Je me demande vraiment ce qui t'a pris d'écrire ça sur nous.

– Il neigeait, ça m'a rappelé des trucs.

– Plus tard les trucs.

La serveuse arrivait, poussant un chariot. Elle venait flamber les steaks. Le spectacle, l'odeur de grillé, la vue de la crème brunissant à feu vif dans la casserole de cuivre, cette grasse régalade retourna le cœur de Pierre. Il ne put qu'effleurer sa viande. Il écoutait vaguement son père lui parler d'avenir, pourquoi pas déménager ? C'était fini Lumiol, dépassé. Il connaissait la ville maison par maison, les emprunts des uns et des autres, ce qu'ils devaient au fisc et les délais de paiement. Il connaissait l'historique de la moindre valeur négociable. Il savait lequel de ces enfoirés avait de l'oseille et lequel avec sa grande gueule chevauchait un panier percé. On avait eu du bon temps, on pouvait changer d'air sans regret. Il n'y avait pas que l'argent sur terre et l'appât du gain.

– C'est le moment de se tirer, fiston. Je crois qu'on mérite mieux que cette région pourrie.

Il regarda son fils.

– Et comme ça ta mère ne pourra plus nous emmerder. Ni toi ni moi. C'est bien ce que tu veux, non ?

Il n'attendit pas la réponse et tapota la main de Pierre par-dessus la table.

– Quelque chose me gonfle, reprit-il en tapotant la main de Pierre par-dessus la table. Je parle doucement, il y a du monde autour de nous, tout un tas de salauds que je foutrai sur la paille. Tu m'écoutes ? J'ai détesté ce dîner. Je suis venu ici pour toi. Tu n'as pas arrêté de chipoter, de bayer aux corneilles. Tu n'as rien mangé, rien dit, je n'ai pas entendu un mot d'excuse, pas un. De quel droit tu fais ces yeux ronds ? Qu'est-ce que tu penses, là, dans ta petite tête de con ? Dis-le !

Pierre ne respirait plus, le visage de son père était comme un masque.

– Dis-le, répéta Marc sourdement, un peu de courage. Te contente pas d'aller baver dans un cahier pour me faire peur.

À ce dernier mot il comprit ce qui le chiffonnait. Dans les yeux brun-noir qui se reflétaient dans les siens, qui brûlaient du même regard anxieux, il avait l'impression de lire une petite phrase de rien du tout, mal écrite, quelques mots laborieux qu'il finirait bien par trouver dans l'un de ces cahiers où Pierre laissait traîner des souvenirs, des trucs – quelques mots à vous envoyer au trou : C'est toi qui l'as tuée.

Au cours de la nuit, Pierre se réveilla. Plus rien n'était d'aplomb. Il avait rejeté les couvertures et ses jambes pendaient hors du lit. Je suis malade, pensa-t-il en touchant sa gorge. Il revit son cahier voler dans le brouillard et revenir sur lui tel un boomerang. Des souvenirs, il en avait comme n'importe qui. Des chuchotements, des braises, des ongles vernis et d'autres qui tombaient sous les coups de ciseaux ; des sourires où il pouvait compter les dents, des barbichettes où le rire tremblait avant la claque, des craquements, des cris, un ravin où il avait failli tomber. « Papa », lança-t-il. En se levant, il découvrit qu'il avait ses vêtements trempés sur le dos. Il s'approcha de l'escalier, descendit et ne trouva pas son père endormi sur le divan. La lumière brûlait dans la cuisine. Il y avait un mot sur la table, en évidence. « Le mieux est que j'aille chercher ta mère à Paris. Nous serons là demain soir. Je t'appelle entre-temps. Ne fais pas de bêtises. Papa. » En deux pas il fut au placard de l'escalier. Pas de musette. Il tressaillit en entendant un bruit. La porte entrouverte bougeait sur ses gonds et la nuit claire se découpait. Il marcha jusqu'à la rivière. Un ciel sans neige, une lueur bleue d'étoiles, Lumiol sur sa colline aperçue comme du fond d'un ravin. Il s'abattit sur la rive.

XI

Chaque jour, en arrivant au collège, il la guettait. Elle était rarement à l'heure. Elle passait la porte, il entrait derrière elle. Ce matin elle avait un nouvel imper, gris-vert. Ce matin la porte fermait, elle a couru. Ses talons ont claqué sur le trottoir, des mocassins. Son chignon ne tenait pas très bien. Ce matin : collants noirs, jupe chinée, veste en laine foncée, avec un grand col, rouge à lèvres. Elle se prenait au sérieux. Elle avait sans doute une réunion. Ce matin boots marron clair. Pieds nus, elle doit mesurer un mètre soixante-dix, ma taille. Elle fait grande. Elle n'aime pas les chapeaux ni les bonnets. Cheveux fins mi-longs, entre blonds et châtains. Ils ondulent, ils font penser à la mer. Je sais bien des choses sur elle et sa manière de marcher. La nuit je la regarde à mon aise. Elle est immobile, allongée sur le sable ou sur l'herbe. Elle est à moi. Ce matin je l'ai attendue pour rien. Le soleil m'aveuglait. J'ai passé la matinée dehors. Les gens se demandaient pourquoi je n'étais pas en cours et s'il fallait me signaler comme fugueur.

Je me suis allongé sur un banc, j'avais froid. Une idée m'est venue, une espèce de vœu. Lui parler avant que la sève n'ait rendu leurs feuilles aux branches des platanes. Cela me laisse quatre ou cinq mois. Et sinon la plaquer. Je suis entré au café Galilée. Elle n'y était pas. Des couples s'embrassaient dans les alvéoles. Il me restait dix francs. J'ai demandé un rhum et le garçon m'a servi du lait. Je plaisante, j'ai dit. Ce matin, long manteau beige avec une ceinture assortie, jean bleu, boots noires. Elle marchait, une main sur le cou, elle paraissait énervée. Je me suis approché pour lui dire que je l'avais attendue, mais elle ne m'a pas vu. Nous nous sommes croisés, j'ai fait demi-tour et je l'ai suivie dans le collège où je l'ai perdue. Ce matin, une voiture rouge s'est arrêtée presque devant moi. Elle n'est pas descendue tout de suite. La cloche avait sonné quand elle a traversé la place en courant. Elle avait une jupe de toile kaki, une simple veste, un tee-shirt. Mon cœur battait. Un type est sorti de la bagnole pour courir après elle en criant : Laura, ton sac. Elle s'appelle Laura. Ce matin elle mâchait du chewing-gum. Elle était en retard, mais pas vraiment pressée. Peut-être est-ce moi qui suis en retard ? Peut-être n'avons-nous pas les mêmes horaires ? Elle regardait les platanes. Il y a bien quelques bourgeons, mais pour les feuilles on est loin du compte, mon vœu tient toujours. En fait je n'arrive pas à l'appeler Laura. C'est beaucoup trop familier pour moi. Il faudrait d'abord que j'aie ma bouche posée sur la sienne.

Ce matin elle mangeait une orange avec la peau. Drôle d'idée. J'ai essayé, ce n'est ni très bon ni très pratique, on a les doigts collants. L'Espagne est le troisième pays producteur d'oranges, après Israël et Malte. Ce matin, elle est sortie du café Galilée et elle est tombée sur Long-pif, ma prof de français. Elles se sont parlé comme des copines. Elles sont entrées ensemble au lycée. À côté d'elle, ma prof avait l'air d'un boudin. Ce matin j'ai couru vers Laura. Je voulais lui parler, lui dire : Laura, voir ses yeux regarder les miens, sa bouche ne rien dire ou répondre oui, je l'ai dépassée, je suis entré au collège à toute vitesse en bousculant les élèves, et je suis allé me cacher dans une salle du haut. Ce matin, elle avait un sac de sport jaune et bleu. Elle est plus grande que ma prof de gym et plus jolie. Laura. Je n'arrive pas à t'appeler Laura. Embrassons-nous d'abord. Je n'ai jamais vu ses mains. Elles sont dans ses poches, ou trop loin, ou elle a des gants. J'ai peur qu'elle soit mariée. Si elle est mariée je la tue. Je lui donne vingt-quatre ans. Moi j'en ai treize, un âge idiot, on ne peut pas imaginer qui l'on sera. On n'est personne. Je ne la tue pas, j'arrête ce cahier. Je ne veux pas voir ses mains. Ce matin, elle avait une robe légère et les jambes nues. Je n'avais jamais vu la peau de Laura. Ça m'a rendu triste. Il ne faisait pas chaud pourtant. On n'est jamais qu'en avril. WXD310. C'est le numéro de la voiture qui l'amène au lycée tous les jeudis. Laura WXD310. Moi c'est Pierre WXD645. Laura WXD645. D'accord, monsieur le maire.

Il plongeait la main sous son lit pour attraper son cahier. Chaque soir il avait rendez-vous avec elle. Il avait une lampe au front, comme les mineurs, tenue par deux élastiques réglables. Il se servait d'un stylo bille encre-gel à pigmentation, aussi doux et précis qu'une plume. Il relisait ce qu'il avait écrit la veille, marquait la date, et notait ses observations sous plusieurs rubriques. Grande, souple, souriante, même quand elle ne sourit pas, dorée, rose, la taille haute, jambes longues, elle marche en se balançant, elle a toujours l'air d'arriver d'une baignade, elle est belle été comme hiver. Je lui ferme les yeux, je les rouvre. Ils sont clairs avec des cils noirs. Elle est fraîche, son sang lui tient chaud. Je l'embrasse et je lui dis : Laura. C'est le mot qu'elle préfère au monde et moi aussi. C'est déjà un point commun. Une robe, quatre blousons, deux impers, un manteau beige ajusté avec une ceinture, un autre en léopard (affreux), six vestes, deux paires de gants, une rouge en cuir, une en laine, au moins cinq jupes, six ou sept pulls, et deux à col roulé (j'aime pas), deux blancs avec un large col rond (j'aime), plusieurs jeans, un pantalon noir archimoulant qui m'arrache le cœur, un autre normal. Boots, mocassins, jamais de baskets. Rien sur la tête à part sa chevelure au vent. Rouge à lèvres de temps en temps. Caractère : généreuse, infidèle, révoltée, sportive, emportée, méchante, drôle, ayant toujours raison, timide et pas très futée. Je suis intelligent pour deux. Emploi du temps : elle est trois fois par semaine au lycée Galilée. Aile droite : collège. Aile gauche : lycée. Préau commun. Mardi, mercredi, week-end : voiture rouge ?

Il restait des heures à veiller, son cahier sur les genoux, la lampe au front. Il était Pierre, il était Laura, il se croisait dans la rue, il s'invitait à la maison quand tu veux, j'habite au deuxième étage bâtiment D, il y a un interphone. À demain, Laura. Et même en l'écrivant il rougissait. Le samedi, il enfourchait sa bicyclette et filait jusqu'à la cité des profs, baies vitrées, voilages, balcons, enfants, petit linge au vent, silhouettes, et la voix qu'il n'avait jamais entendue lui soufflait : viens à la maison. Il rentrait chez lui poursuivi par des centaines d'yeux qui l'avaient remarqué sous les arcades, au café, rue Jean-Jaurès, un samedi matin. Il lui tardait d'être à lundi, de la revoir et de la suivre. Il ne savait pas ce qu'elle faisait au lycée. Elle montait le grand escalier de bois ciré qui donnait sur l'étage administratif, elle passait devant le marbre de Galilée, et disparaissait. À part directrice ou prof, elles font quoi dans un lycée ? Le ménage, la cantine, l'infirmerie, la religion, la surveillance, la comptabilité. Il n'aurait pas aimé qu'elle soit comptable. Les chiffres lui donnaient mal aux yeux. Ils étaient aussi mauvais pour lui que le sucre pour Totin. Il hésitait entre plusieurs métiers où elle ne risquait pas de tomber enceinte ou de rencontrer quelqu'un qui l'emmènerait vivre ailleurs. Lui, c'est en Espagne qu'il irait embrasser Laura, lui murmurer son nom juste au bord des lèvres, il ne lui resterait plus qu'à l'attraper entre ses dents. La commissure des lèvres de Laura, son horizon paradisiaque. De l'Espagne, il savait tout par Marc et par le dico : la chaleur, les épidémies, les tremblements de terre, les olives, le vin, la canne à sucre, le manganèse, l'Andalousie, les taureaux, l'Armada, Franco, la situation difficile au Pays basque et les anchois, les oranges, et l'eau bleue tant et plus. Il se voyait riche à millions, nageant dans la mer espagnole avec Laura nue comme le vent. Elle avait des taches de rousseur autour du nombril et une petite croûte de sang qu'il faisait sauter à la pointe du canif. Il regardait ses seins pousser à l'ombre d'un palmier. Il était leur gardien. Laura. Il en avait des frissons jusque sous les ongles des pieds. Il s'endormait épuisé sur une résolution : je lui parle demain. De jour en jour il remettait à plus tard ce courage insensé. L'hiver passa, les oiseaux envahirent les marronniers. En mars, il nota : c'est le printemps. Bientôt la place Galilée croulera sous la verdure et les gros-becs, j'aurai trahi mon vœu. Je serai un homme mort, à treize ans. Je lui parle demain, DEMAIN, c'est mon ultimatum. Je lui dis : vous avez remarqué, la saison n'est pas en avance. C'est à cause d'un vœu qui vous touche de près, mais soyez sans crainte. À partir de maintenant nous aurons du soleil, d'ailleurs le voilà, c'est Pâques. Les cloches arrivent de Rome et le soleil nous vient tout droit d'Espagne, et vous ?

Il allait oublier son vœu le jour où la prof de français donna pour devoir : *Racontez votre premier souvenir.* Sa main le guida vers une petite musette balancée par le vent. Il avait pris goût à l'écriture, il livra innocemment ses secrets, son père se vengea.

Renonçant à Laura, il nota d'une écriture illisible : j'aurais pu tomber. Et si la neige n'avait pas tenu ? Nous avons tous les deux perdu la tête. Heureusement qu'il s'est tiré. La prochaine fois que j'ai un souvenir à raconter, j'achète une hache, c'est plus précis qu'un stylo. Je massacre tout. Au fait, c'est fini Laura et moi. Elle mérite mieux qu'une poule mouillée. Il resta couché les trois jours de Pâques. Le téléphone sonnait sous son oreiller, qu'il sonne. Dès qu'il ouvrait l'œil, il voyait passer des flocons. Le dimanche soir, la faim le sortit du lit. Dans le placard de la cuisine il découvrit une poule en chocolat grandeur nature à ruban rose. Il la mangea.

Le mardi, à la coupure du matin, le surveillant lui fit passer une convocation au bureau de l'assistante sociale. Lundi vingt-trois avril, dix-sept heures, Pierre Loupiens, c'est moi. Urgent. Qu'est-ce qu'elle veut ? Les séparer son père et lui ? Les ennuis commençaient. Une vraie connerie, cette rédac. Et dire qu'il l'avait écrite en vitesse pour dépanner un nullard de la classe. Il laissa des dizaines de messages à l'agence. Marc était injoignable. Il pensa toute la journée au rendez-vous du soir. S'il y avait la police, il se battrait. Il sauterait du toit. Il prendrait l'assistante sociale en otage. Il ne se laisserait pas intimider. À dix-sept heures trente, après s'être caché un long moment dans les toilettes, il rasa les murs jusqu'à la sortie. La prof de gym lui fit un signe amical. Pas de flic dans le hall. Ils pouvaient aussi bien l'attendre dehors ou même chez lui. Depuis quelque temps il se sentait surveillé. On le regardait bizarrement, comme s'il avait un ouistiti sur l'épaule. À dix-huit heures il gravissait le majestueux escalier de bois à large rampe cirée qui montait à l'étage administratif. Il croisa le marbre de Galilée penché sur le globe. Il traînait les pieds. Il fit demi-tour, puis demi-tour à nouveau. Dernière porte au fond du couloir. Est-ce qu'il reverrait son père un jour ? En tout cas motus. Un caoutchouc poussiéreux entremêlait ses ramures au plafond. Il y était. C'était marqué sur la porte marron en lettres anodisées : ASSISTANTE SOCIALE. 8H30 – 16H. Dessous, fixée par quatre punaises jaunes, une feuille cartonnée avec un nom au feutre noir : Laura Meyer.

Ce mardi matin, Laura Meyer était arrivée d'humeur massacrante au lycée. Elle ne venait que pour donner sa démission. Elle avait passé le week-end de Pâques à Paris, chez ses parents. L'horreur. Soi-disant sa mère voulait divorcer. À son âge ! Elles ne pouvaient pas s'encadrer. Tu es un monstre, entendait Laura depuis l'enfance, un monstre d'égoïsme, un monstre d'orgueil, un monstre d'ingratitude. Et son père l'achevait gaiement en prenant sa défense, une pirouette de trouillard : « Laura s'en sortira toujours grâce au physique. » Elle s'en sortait en habitant Lumiol, loin d'eux, mais ce n'était pas encore assez loin. Elle enviait les familles où l'âge ne sépare pas au couteau les générations, où plus on est de fous plus on rit. Elle se rappelait vaguement une époque où elle avait été petite, il y avait une barrière blanche et des fleurs, des brioches embaumaient la cannelle. Elle pensait alors grandir et se marier avec le voisin. À trente-deux ans elle était seule et tant que ses parents vivraient elle n'aimerait personne en particulier. Un monstre de solitude. Et le monstre allait envoyer promener tout ça.

Elle mit à la page son calendrier : mardi 25 avril, Saint-Marc, aucun rendez-vous. Tant mieux. Post-it bleu pâle : *Qu'en pensez-vous ?* Elle fronça les sourcils et se rappela cette rédaction qu'elle avait dans son sac depuis trois jours. Un professeur de français la tannait pour avoir son avis. Les pieds sur le bureau, elle parcourut la copie : *Racontez votre premier souvenir.* Sujet ringard et révoltant ! Atteinte à la vie privée du mineur. Habeas corpus. On extorque aux adolescents leur mémoire, dans l'enceinte scolaire, on évalue un jardin secret. Pas étonnant qu'ils se ruent sur les sections scientifiques. Elle imaginait le coup de sang d'un prof découvrant ses premiers souvenirs à elle : son premier soutif, ses premières règles, sa première nuit avec un garçon, sa première nuit avec deux garçons, des jumeaux, sa première nuit avec trois garçons, dans la lingerie surchauffée d'une maternité, à dix-huit ans, avec au-dessus d'elle des jeunes femmes en train d'accoucher. La rédaction du gamin filait bien, mon premier jour sans maman, ma première culotte à l'envers, ma première boule de neige, ma musette retrouvée. Un adolescent attendri par ses bobos se croit seul au monde et je devrais en penser quoi ? Qu'il doit se moucher un bon coup et prendre son mal en patience. Elle oublia la copie dans un coin et, les pieds toujours sur la table, attrapa son téléphone. Vers midi, cependant qu'elle redisait à sa mère qu'elle n'avait pas voulu la blesser, qu'elle avait dit ça comme ça et qu'il ne fallait pas dramatiser, son regard tomba sur la rédaction. Sidérant. Elle n'écoutait plus sa mère ; elle lui raccrocha au nez sans y penser et fit aussitôt appeler l'élève qui se prétendait l'auteur.

– Approche un peu Xavier, dit-elle au gamin debout sur le seuil, impatient de filer. Tu n'as pas l'air trop malheureux.

– Vous non plus, m'dame, fit-il comme si le niveau de la conversation l'atterrait. C'est tout ?

– Moi ma mère n'a pas quitté le domicile familial.

– Tant mieux pour vous, m'dame, dit-il, de plus en plus consterné, à deux doigts d'être grossier.

– Reste là, dit-elle en le voyant tourner les talons. J'ai un petit souci.

Il leva les yeux au ciel. Il se dandinait mollement d'un pied sur l'autre, épaules en arrière, mains retournées dans les poches revolver d'un pantalon dix fois trop grand, dont les plis empilés couronnaient d'énormes chaussures de sport carénées pour la frime, languette sortie jusqu'à mi-tibia – le genre petit caïd passé directement du lait maternel au Coca-Cola.

– C'est pas trop dur pour ton père de t'élever seul ?

Il prit les murs à témoin, retroussa les lèvres en une moue qui signifiait en gros : Attention. Moi on me parle pas comme ça. Moi y en a pas être un niacoué. Moi y en a plein aux as. Moi y en a fils de traiteur, attention, chez nous c'est traiteur et fils.

– C'est quoi ce plan ? fit-il d'une voix enrouée de morgue. C'est mon père qui vous branche ? Vous en avez marre de palper vos six mille balles par mois ? Vous voulez son numéro ? On l'appelle si vous voulez, tout de suite, on n'hésite pas.

– O.K., fit Laura en poussant le téléphone vers lui. On va lui lire ta rédac.

Il en avala sa pomme d'Adam.

– Quelle rédac ?

– C'est bien ta copie, ça, ton premier souvenir ?

– Quel premier souvenir ! fit-il en daignant baisser les yeux sur les feuilles que Laura lui montrait.

Il eut soudain l'air de se rappeler une chose idiote, un détail à la con, il sortit une main de sa poche et chassa les mouches devant son nez.

– Ça va, fit-il vexé, j'ai compris. Qu'est-ce que ça peut vous foutre ? C'est quoi votre boulot, assistante sociale ?

Il prit la rédaction à deux doigts, comme un slip sale, et la laissa tomber sur la table un peu plus loin.

– J' connais pas le sujet, j' sais pas ce qui est écrit, je m'en tape, j'ai pas besoin d'une assistante, j'ai besoin d'une grosse note pour ma moyenne de fin d'année. Alors faites pas chier.

Laura l'écoutait sans broncher. Elle avait les yeux vert pâle. On ne savait jamais ce qu'elle pensait. Elle-même l'ignorait quand elle revenait de Paris et que ses nerfs lui démangeaient. C'était pain bénit ce genre de petit con prétentieux.

– Tu la connais Nelly ?

Il parut tomber des nues.

– C'est qui ça ?

– Pierre c'est ton surnom ? Curieux quand on s'appelle Xavier.

– Pourquoi je m'appellerais Pierre ?

– C'est lui qui raconte son premier souvenir. Explique-moi ça.

L'air mauvais, il s'excita.

– C'est pas vrai qu'il a pas changé les prénoms, cette espèce de trou du cul !

Il s'embrouillait dans un baratin lorsque Laura le pria de la boucler. D'accord, on appelait son père, et pourquoi pas sa mère ? On leur disait de rappliquer. On leur montrait la rédac de Pierre. « Et toi tu vas leur répéter tout ce que tu viens de me dire sur la différence entre les niacouées dans mon genre et les gros porcs pleins aux as, gros porc et fils. »

Il balança la tête et se mit à supplier. C'était la guerre avec son vieux. Il était violent. Il avait eu un problème au cœur cet hiver. Il le foutrait en pension. « Vous savez pourquoi j'ai fait ça ? dit-il en venant poser ses mains sur la table. Je veux pas aller en pension. C'est pas ma mentalité. » Y avait pas que lui qui bidonnait dans la classe. Avec ses potes, ils avaient monté une petite industrie sympa, le pretium doloris. Un truc à l'amiable pour éviter les effusions de sang. C'était ça ou Pierre leur baisait la gueule. « Vous savez c'est quoi le boulot de son père ? Il va chez les gens avec des chiens et deux trois niacoués, et il met tout dans un camion direction la salle des ventes. » Le fils payait pour son vieux, normal. On lui donnait du taf le week-end, des exercices de maths, des crobars à faire, une rédac de temps en temps. Pretium doloris, ça veut dire le prix des emmerdements causés par son vieux dans la région.

– Et c'est lui qui s'appelle Pierre.

– Pierre Loupiens, fit-il avec mépris. Vous voyez le genre ! Il fait exprès de laisser son nom dans la rédac. Il fout la merde. Vous trouvez ça réglo, vous ? Ça mérite pas qu'on lui fasse un peu saigner les gencives ?

– Pierre Loupiens, fit Laura, médusée.

Une vieille énigme éparpillée se recomposait dans sa mémoire, et ce qu'elle voyait apparaître aujourd'hui lui donnait envie de hurler. Une musette balancée par le vent au-dessus d'un ravin. *Qu'en pensez-vous ?* Elle ne pensait pas clairement, elle avait peur. Il était arrivé malheur à Nelly. Ce n'était plus une rédaction qu'elle avait entre les mains mais la déposition d'un témoin.

En fin d'après-midi la pluie cessa. Debout à la fenêtre, son imper sur le dos, Laura regardait le jour décliner. Le coma typique de Lumiol entre chien et loup, une lumière bleue qui se teintait de rouge au loin, sur les collines. Il était sept heures, Pierre Loupiens n'était pas venu. Elle ne se décidait pas à partir. Un autre soir, chez elle, c'était Nelly qu'elle attendait avec cette impression d'effroi. Elle était à la fenêtre et se persuadait : elle va venir, la neige ne l'arrêtera pas, elle finira la route à pied. Elle a dit qu'elle viendrait elle viendra. On ne l'avait jamais revue. Elle avait prétendument quitté la région. Foutaises ! pensait Laura. Le premier souvenir de Pierre recoupait ses remords et son intime conviction : il était bel et bien arrivé malheur à Nelly, mais quoi ?

Quittant son bureau, elle ouvrit la porte au moment où, dans le couloir sans lumière, quelqu'un l'ouvrait aussi. Elle n'avait pas entendu frapper. Elle tomba sur un grand jeune homme ébahi qui sursauta. Elle avait encore la main sur la poignée, lui aussi.

– Une heure et demie de retard. Désolée, je dois partir.

La voiture rouge, pensa Pierre en se dépêchant de tourner les talons et de filer.

– Attends ! cria Laura sortie dans le couloir.

Il revint sur ses pas, elle avait rallumé la lumière du bureau.

– Assieds-toi deux minutes.

Elle lui parlait. Elle était debout contre la table. Son imper s'entrouvrait, son écharpe beige pendait jusqu'à la taille. Il voyait ses mains. Elles étaient rondes et fines, un peu hâlées, des ongles courts, sans bague.

– Tu sais pourquoi tu es là ?

– Non.

– Je voulais te dire...

Elle regardait effrontément ce beau garçon mort de timidité, de grands yeux sombres, une mèche en aile de corbeau sur le front, des gouttes d'eau dans les cheveux. Le fils de Nelly sept ans plus tard. Elle avait vu sa mère enceinte, le plus menu des ventres maternels, une grossesse de fée. Elle l'avait vu, lui, nouveau-né dans un berceau de plastique à température constante, en chambre chaude, elle l'avait vu téter au bord de la Dive, elle l'avait vu crapahuter en couche-culotte sur la terrasse de son chalet, au col des Limites, elle avait vu son premier sourire. Sa mère le trimballait partout dans la musette, à pied, à moto.

– J'ai connu ta mère.

Il n'eut aucun frémissement. Il pensait à la voiture rouge.

– Ma mère j' m'en fous, dit-il d'une voix douce, et il ajouta : Je plaisante.

Il défaillait de bonheur et d'épuisement, prêt à se laisser tomber la joue sur la table et à s'endormir.

– Tu ne me crois pas ?

– Que si !

Elle resta court ; les secondes passèrent.

– Alors comme ça tu fais l'écrivain public pour les faux durs de ta classe ?

– Pas seulement de ma classe. Je paie ma dette à la société. C'est ce qu'ils disent...

Avait-il répondu ça ? Bien sûr que non. C'est à Désertas qu'ils le disaient, s'en vantaient, c'était une grosse blague entre eux. Le cobaye n'est jamais inactif, il ne tire jamais au flanc, ne se repose jamais : à chaque seconde il paie sa dette à la société. Qu'il ronfle ou gise à terre cloué par l'insolation, quoi qu'il fasse, au réfectoire, aux chiottes, de loisir ou de corvée, qu'il écrase la gueule d'un autre ou se la fasse écraser, le cobaye éponge le déficit par tous les pores de sa peau. Il raque à la société une fortune de solitude et d'absurdité, de vieillesse, d'ennui, de chagrin, il rachète la fortune de merde qu'il a déversée entre la loi humaine et lui. Comme eux tous Pierre payait une dette insondable qui lui faisait l'effet d'une monstrueuse arnaque à ses dépens. Si Laura n'avait pas eu trente-deux ans et lui treize, si l'âge les avait portés l'un vers l'autre il aurait su dire son nom contre ses lèvres, la regarder, lui parler, de quels mots la rendre sensible à ce qu'il éprouvait pour elle, il aurait pu fondre le souvenir de sa mère à l'amour d'une Laura embrassée et choyée, retrouver la mémoire après tant d'oubli, ne jamais entendre parler des cobayes ni voir le soleil se lever à Désertas à côté d'un volcan mort. Trente-deux ans moins treize égalaient la vraie dette à ses dépens. Qui la lui paierait? Cet amour aurait absorbé tout ce qu'il était, n'avait pas été quand il s'ennuyait mortellement dans sa chambre à Lumiol, les mauvais sentiments, les rêves, les mensonges, il aurait absorbé l'amour qu'il avait pour son père, amour qu'il croyait à l'épreuve des pires soupçons. Il pensa le dire à Laura dans son bureau, en écoutant sa voix, en regardant ses mains sans bague, en comptant les larges boutons sur son imper, en s'aventurant le plus loin qu'il pouvait dans ses yeux pâles : C'est pour vous que je fais l'écrivain, pour vous seule, pour toi Laura, tu t'appelles bien Laura? T'es mariée?

Mais il resta silencieux. Motus.

Une heure plus tard, en sortant du lycée, Pierre ne vit aucune voiture rouge devant la porte. Il était sur un nuage. Elle avait connu sa mère, et lui connaissait Laura. Il ne jetterait pas son cahier. Il avait plein de choses à noter, le parfum, les yeux gris doré avec du vert, le grain de beauté sur le cou, et aussi le cou, dément le cou! Et aussi les mains, et aussi les épaules, et la respiration qui faisait bouger son pull à la hauteur des seins, et les seins, ils avaient l'air si beaux. LES SEINS, exultait-il, et tout ce qu'il avait envie d'embrasser, la bouche, les petites oreilles bien collées sous les mèches blondes, pas une fille du collège n'avait les oreilles de Laura, on aurait pu faire un concours. Ce soir il noterait : J'aime Laura. Gloussant et poussant des cris inarticulés, il rentrait chez lui fou d'excitation. Le pied d'être heureux ! Pas un mot à Marc, motus. Elle avait connu sa mère ? Et alors ! il connaissait Laura. Ils avaient rendez-vous demain pour de vrai. Mon amour.

XII

Il est arrivé, pense Laura. Il traverse le jardin, sort sa clé, disparaît dans la maison. Son père va bientôt rentrer et disparaître à son tour. De la route on verra la lumière entre les tilleuls. Elle brûlera toute la nuit. Autrefois c'était là, cachée par les arbres, qu'elle attendait Nelly ou la raccompagnait; et plus tard, après sa disparition, elle arrêtait toujours sa voiture devant chez eux pour observer la fenêtre éclairée. Le vent nocturne animait les feuillages. Elle restait là comme à l'instant même, à moitié endormie, vigilante et songeuse. Elle avait le sentiment que cette lueur en disait plus long que n'auraient dit les habitants si par bravade elle avait sonné. À force elle avait des hallucinations, le point lumineux s'élargissait et elle se voyait monter l'escalier dans la maison, elle voyait se débattre des ombres, elle entendait des pleurs, la plainte étranglée d'un enfant, son propre cri l'horrifiait. Ensuite elle avait eu son diplôme et son appartement cité Brassens, en ville, elle s'était jetée dans le travail. De temps à autre elle se rappelait Pierre; elle l'avait laissé tomber. Un jour, saisie de remords, elle avait envoyé là-bas sa collègue des affaires familiales. En lisant son rapport, elle avait appris que M. Marc Loupiens touchait les allocations d'un parent isolé, abandonné, sans nouvelles du conjoint. Profondément choqué par l'inexplicable départ de sa femme, il n'était pas sûr d'avoir toujours les réponses aux questions qui tourmentaient Pierre ; il se laissait guider par l'amour paternel et par lui seul. Cet homme intègre ne demandait rien à personne, excepté son dû. Quant au gamin, il faisait plaisir à voir.

Voilà maintenant des heures qu'habillée, prête à partir, Laura gamberge dans son bureau. Elle revoit l'homme intègre à la maternité, loubard à catogan, le foie saturé d'acétone et les yeux comme des crachats, incapable d'aligner deux mots ; elle le revoit errer dans son jardin, le crâne rasé, la chemise hors du pantalon ; huit ans plus tard il trône à une assemblée de parents d'élèves, brave monsieur gominé, cravaté, drapé de mélancolie. Il est ce père esseulé que toute une ville a pris sous son aile. Et son fils en a de la chance. Et sa femme, quelle petite salope.

D'une main furtive elle ouvre le tiroir au bas du bureau et considère le paquet de cigarettes posé sur une liasse d'articles médicaux traitant du cancer des poumons. D'ordinaire elle lui tire la langue et repousse le tiroir. Non douleur, non morphine, et non métastases. Elle n'a pas fumé depuis le Jour de l'an. Ce soir elle en crève d'envie. Elle soutient le regard brasillant du démon qui susurre : rien qu'une cigarette, une moitié, un demi-péché, un quart de poumon. Elle prend le paquet, le hume, le mordille et, l'ayant comme étouffé dans son poing, le laisse retomber dans le tiroir. Sa main désœuvrée cherche le briquet laqué noir, cadeau de Nelly. Au premier frottement la flamme jaillit. Si les flammes pouvaient parler. Une nuit, Nelly s'était précipitée à la fenêtre où l'ombre de Marc se détachait sur le ciel étoilé. D'une main, il tenait le briquet allumé, de l'autre le nouveau-né par un pied, au-dessus du vide. Il disait qu'il allait lâcher Pierre, il ne pouvait plus attendre, il voulait coucher avec elle maintenant, c'était vital, rien qu'une fois.

La flamme s'éteint. Treize ans plus tard Nelly n'est plus là, mais les deux autres sont père et fils, les doigts de la main. Ils sont à table soir après soir, comment s'est passée ta journée, qui tu as vu, tu as faim. Ils plaisantent, ils ont appris à feindre ce naturel jovial, ils se disent bonsoir, ils s'endorment les yeux ouverts et regardent au fond d'eux-mêmes. Au fond d'eux-mêmes, ils se haïssent, ils ne savent même pas à quel point.

Le conseil de discipline est demain soir et Laura cherche la bonne manière de l'aborder, intimidée par ce gamin dont elle ne sait plus rien. Elle ne veut pas l'attirer dans un traquenard mais l'amener sans heurts à vider son sac, encouragé par une administration bienveillante, en droit de s'inquiéter pour lui. Le thème officiel est le rançonnement des élèves entre eux, l'extorsion de mineur à mineur. Et après, pense Laura. Quand il aura déballé ses petits aveux scolaires et qu'il aura subi le blabla sucré d'une directrice pressée d'en finir. Rien à cirer des magouilleurs de rédacs ! Ce qu'elle veut, demain, c'est voir Pierre s'effondrer devant témoins, c'est l'entendre avouer qu'il vit un enfer chez lui, que son enfance est une escroquerie, et qu'il a le cœur gros d'une histoire au-delà des mots. Elle veut une scène, un scandale en règle, une enquête judiciaire, des flics et des journalistes sans foi ni loi. C'est bien le moins, depuis le temps. Elle touche au but. Elle venge Nelly.

Voire... Demain soir la directrice ne lui pardonnera aucun faux pas, aucune allusion à la vie privée. L'ordre du jour et pas d'écart. Madame la directrice est une personne très maquillée. La vérité a mauvaise mine ? On lui met de fausses dents, on lui tire la peau des joues, on la roule dans la farine, on ne la montre pas du doigt. Depuis toujours elle la déteste, et sans cordialité. La directrice la fait penser à sa mère.

Son regard effleure le bonsaï offert par Nelly, rayonnant de santé, nourri exclusivement à l'eau minérale, pour descendre vers le tiroir aux clopes, béant. Elle s'empare du paquet. En un geste irréversible, elle arrache la bande rouge, soulève le rabat, froisse le papier métallisé et porte à ses narines une double rangée de cigarettes au parfum miellé. Sept bouffées, elle s'en accorde sept, pas une de plus, que sa mère crève à la huitième, qu'elle aille au diable. Une cigarette à la bouche, elle bat le briquet noir une fois, dix fois, vingt fois. Il marchait tout à l'heure : il ne marche plus. Panique. Elle n'a pas d'allumettes, pas de feu. Voudrait-elle s'immoler qu'elle devrait y renoncer. Elle se représente une torche humaine en faveur de la paix, la racine déchiquetée d'un olivier caressé par la foudre, les glouglous fulminants d'une éruption sur les pentes de l'Etna, la veilleuse au plus bas d'un chauffe-eau vétuste, au sous-sol du lycée, dans une cuisine fermée à clé. Petite, elle entrechoquait les cailloux, elle enfumait les bâtons en les tournant sur du sable, elle claquait des doigts et le feu montait, elle cramait des fourmilières aussi hautes qu'elle en faisant loupe à travers ses larmes. De rage elle jette sa clope et frotte le briquet. Une lueur jaune englobe la mèche, épuisant un dernier souffle de gaz. Miracle, Dieu existe, il fume. Elle se plante une cigarette entre les dents, l'approche du feu, le touche et se retient d'aspirer, louchant sur ce point dansant qu'elle regarde s'éteindre au bout d'un trop long moment. Le briquet ne veut plus rien savoir. Quelle idiote ! Elle met cigarettes et briquet dans le tiroir. Elle ne fumera pas cette nuit, une nuit à faire déborder les cendriers. Écœurée, Laura prend un chewing-gum et se renverse dans le fauteuil, mains derrière la nuque. Ou j'ai changé ou j'ai vieilli, murmure-t-elle avec un soupir exhalé comme une fumée.

Cigarette ou pas, elle vengera Nelly.

Quand elle était arrivée à Lumiol, à dix-huit ans, elle n'était qu'une gamine excessive en tout, généreuse et brouillée avec la terre entière. À l'entendre elle avait la bougeotte et pas grand-chose à faire ici. Elle préparait un peu cavalièrement son diplôme d'assistante sociale, mais elle aurait aussi bien pu suivre au bout du monde un terroriste aux mains douces ou son ennemi juré. Elle faisait un stage à la clinique Aurore, en maternité, sur les hauteurs de la ville. Elle ne s'embêtait pas. Elle se rappelait un jeune papa couché sur un lit d'appoint dans le couloir. Un jour sur trois, elle rentrait au chalet qu'elle s'était loué dans les parages du col, elle oubliait Lumiol et ses Lumiolais, des jeunes à la pelle, une mentalité d'outre-tombe. Heureusement qu'il y avait la clinique où ça défilait. La deuxième année, c'était sérieux. Elle assistait la polyvalente de secteur, une mère de famille à principes, elle voyait les cas désespérés : adolescentes anorexiques, pères violents, fillettes excisées au cutter, tontons pédophiles et nounous sadiques, couples sectaires flanqués d'une progéniture aux pâleurs de navet, grand-mères à tirelire oubliées dans les braises, elle aidait à sortir du pétrin les gens infantilisés par le désespoir. Un matin, dans le hall de la clinique, elle avait vu surgir une fille en piteux état qui prétendait perdre les eaux. Elle marmonnait des choses incohérentes, un si grand voyage pour en arriver là, le vrai père était prévenu mais l'autre espèce de malade la poursuivait, attention il était dangereux, il ne fallait pas lui dire qu'elle accouchait, il n'hésiterait pas à mettre le feu à la clinique et à lui voler son enfant. Durant trois jours elle était restée prostrée. Aucun père ne l'avait demandée, aucun amoureux. La veille de sa sortie Nelly fondait en larmes et, d'une voix plate, s'étonnait de tomber chaque fois sur des salauds. Le pire c'était Marc. Un tas d'or, il lui devait un tas d'or, un tas d'illusions, une jeunesse, il ne paierait jamais un sou. Un homme généreux comme une sangsue, un voleur. En venant à Lumiol elle pensait vouloir le tuer, question de justice, mais le petit bougeait dans son ventre, il méritait mieux qu'une mère en prison. L'ennui c'est qu'elle est à la rue.

Mortifiée, Laura s'entend la convaincre d'obtenir son dû jusqu'au dernier radis, de s'installer chez cet enfoiré. De l'épouser au besoin. Et après... ciao. Elle se revoit la veille du mariage, attendant au chalet cette fiancée qui n'a plus sa raison. Elle n'arrête pas de sortir sur la terrasse, elle se ronge les sangs. À cinq heures du matin elle avait pris sa voiture. Il ne neigeait plus. La vallée du Rhône scintillait. Une blancheur bleutée sur les pentes et sur les astres, un silence du fond des mers. À sept heures, elle passait devant la maison Loupiens et voyait la lumière entre les tilleuls. Une heure plus tard la porte s'ouvrait et Marc s'avançait dans le jardin, débraillé, le pas sans but d'un homme qui cherche à s'éloigner du couteau planté entre ses omoplates.

Descendant sa vitre elle cria :

– Elle est là, Nelly ?

– Bien sûr qu'elle est là.

– On a rendez-vous.

– Elle dort.

– C'est important. C'est pour du boulot.

– Revenez demain.

Elle avait dit :

– Vous n'auriez pas du café ?

– On n'en a plus. Demain.

Il avait une drôle de voix minérale, absente, il fixait la colline avec des yeux morts, attentif à quelque chose qui se déroulait dans sa tête et l'obsédait. Pierre apparut alors, cavalant sur des bottes bleues enfilées chacune au pied de l'autre. Il fonçait vers le portail quand son père le ceintura pour le ramener dans la maison. La porte claqua.

Tout Lumiol savait à midi que le mariage était à l'eau, que les enfants du pays ne lâcheraient pas les ballons blancs et que la fiancée avait quitté la région. Pauvre gosse, pauvre M. Loupiens.

C'était si peu crédible que Laura retournait chez lui le soir même. Elle avait appelé, frappé au carreau. Elle avait téléphoné de sa voiture, planquée sous les arbres, et s'était fait jeter par un cinglé. On n'a besoin de personne et personne ne s'approche, compris ? On n'est pas seul avec son fils. On se tient les coudes. Il n'avait plus rien à foutre de Nelly. C'était pas son problème où elle était ni par qui elle se faisait mettre. Elle pouvait crever, lui faire un procès. Qu'elle revienne et je la flingue. Et d'abord vous êtes qui ? En écoutant son délire, elle voyait un nouveau-né la tête en bas au-dessus du vide, et se mordait les lèvres. Jamais Nelly n'aurait laissé son fils une seconde avec ce malade, jamais elle ne serait partie sans lui, jamais sans la prévenir. Il fallait porter plainte.

La honte, chez les flics de Lumiol. Une disparition, bien. Elle a des soupçons, bien. Française, bien. Quel âge a cette pauvre enfant ? Vingt-six ans. Vous êtes sûre qu'elle est vaccinée. Contre les serpents. Contre les loups. Contre les poissons. Les ratons laveurs. Les poils de cul. Les bicots. Les youyous. Vous connaissez pas les youyous ? Et les pinpins, vous connaissez ? Ils se tapaient sur les cuisses. Elle était là, elle n'y est plus, et M. Loupiens ne veut pas dire où c'est qu'elle est. En voilà une histoire. Ils en avaient plein la bouche de leur M. Loupiens, citoyen modèle, généreux soutien de la police, exemple pour tous ces parasites qui viennent pleurer misère à la mairie. Au juste, vous le soupçonnez de quoi, M. Loupiens ? On n'allait pas bouger pour une mère capable d'abandonner son fils, un enfant du bon Dieu. Tous les jours des gens arrivaient à Lumiol et repartaient comme ils étaient venus. Et tant mieux. Enquête passive. On recueille les témoignages s'il y en a, comptez sur nous.

Durant des mois elle avait eu l'impression de vivre au milieu de crapules résolues à bâillonner l'évidence. Elle avait vu quelle hypocrisie liait en forteresse imprenable ces Lumiolais si ternes au prime abord. Pas de scandale, pas de vérité qu'on montre du doigt. Dépassée par ce qu'elle croyait ou cherchait à croire, et n'osait pas formuler, qu'ils couvraient une sale affaire, elle s'essoufflait, ridicule avec sa bonne foi despotique et son entêtement. Et le jour où la boîte vocale de Nelly ne dit plus « C'est moi » d'une voix éraillée par l'insomnie, elle baissa les bras. Depuis sept ans, l'heure faisait des ronds de plus en plus larges autour d'un point d'interrogation qui persistait à briller. À saigner.

Minuit. Laura jette son chewing-gum. Elle ne pense plus qu'au feu follet prisonnier du chauffe-eau quelque part dans les cuisines. Aurait-elle sous la main un bon morceau de fer qu'elle descendrait crocheter la serrure et voler du feu, de quoi fumer tout son soûl, de quoi flamber cette ville de vieux parvenus armés jusqu'aux dents contre les intrus.

Elle ouvrit brusquement le tiroir aux cigarettes, saisit d'une main voleuse le paquet rouge et s'échappa du bureau. Quelques minutes plus tard elle arrivait à la maison des Loupiens, le cœur battant. Pas de lumière entre les arbres. La même impression qu'autrefois d'un lieu marqué par la solitude. Le 4 × 4 était garé sous le mûrier, pachydermique, si haut qu'elle dut lever la main pour attraper la poignée côté passager. La portière pivota sans bruit. Les clés au tableau luisaient irréelles. Assise à la place de Pierre elle mit le contact, enclencha l'allume-cigare et deux heures après, confortablement vautrée, jambes allongées, Laura fumait sa dix-neuvième et dernière cigarette, observant la baraque entre ses paupières mi-closes. Laquelle de ces fenêtres était celle du gamin ? En fait, il n'y avait pas trente-six questions à lui poser demain. Il y en avait une et une seule. Elle allait mettre les pieds dans le plat. Tant pis pour la dirlo. Elle croisa les bras et s'endormit.

Le lendemain soir, le conseil de discipline autour de Pierre se tint dans la bibliothèque après le tournoi d'échecs qu'il venait de remporter. On baissa les lumières, on rapprocha deux tables pour les autorités – la directrice endimanchée comme chaque jour à chaque instant, la prof de français, Long-pif, Laura Meyer en tailleur-pantalon noir et mi-bottes en daim dont une semelle bâillait. Assis sur une chaise au milieu de la salle, Pierre se tortillait en exhibant les baskets neuves de son père empruntées sans permission.

La réunion commença. Il écouta poliment le baratin de la directrice sur les devoirs respectifs de l'élève et du maître, et sur la discipline en général ; puis celui de Laura Meyer sur le caractère évidemment confidentiel de leur entretien ; puis les compliments attristés du prof pour cette rédaction impossible à noter, il savait pourquoi.

– On en a pour longtemps ?

– Si tu permets, c'est moi qui mène le débat, fit la directrice.

– Je plaisante. D'ailleurs je ne suis pas pressé.

– Eh bien, tant mieux.

– Tant mieux, oui. Ou tant pis.

Et soudain l'insolence lui tordit la langue, il faillit ajouter : Si je me fais trop chier je me casse.

Dès la première question, il buta sur les mots « extorsion » et « racket ». Mais non, protesta-t-il avec dédain, vous lisez trop les journaux. C'était pas Chicago, leur troisième. Il y avait les bons, les moins bons, les nuls, ça variait d'une matière à l'autre, on s'entraidait. L'entraide est un principe religieux, civique et commercial. On nous l'enseigne en cours, on nous en rebat les oreilles. Il se demandait en les disant d'où sortaient des phrases aussi bien torchées et cette voix sonore à trois dimensions. Il répondait du tac au tac à la directrice, à la prof, tour à tour élégant, gouailleur, condescendant, il n'avait aucun mal à noyer le poisson. La rédac ? Un truc en vitesse pour dépanner un copain. Le pretium doloris ? Un canular. Les exercices de techno ? Il en faisait pour les potes, oui, ça pouvait arriver, il avait des facilités en techno, il aimait bien partager. Des noms ? Quels noms ? Ils étaient tous à mettre dans le même sac, système D. C'était contraire au règlement ? Mais si l'on allait par là, son père disait que le lycée Galilée n'était pas aux normes pour la sécurité incendie...

– On ne va pas par là, Pierre. Contente-toi de répondre. Est-ce que tu subis d'autres contraintes dans l'enceinte du lycée ?

– Aucune, et d'ailleurs je n'appelle pas ça des contraintes mais du libre-échange. J'ai la bosse du commerce, c'est de famille.

À travers la table il vit Laura Meyer échanger un coup d'œil avec la prof et sentit planer une menace. Un tribunal, pensa-t-il avec effroi. Elles ont la dalle. Elles attendent leur pâtée. Si j'osais j'aboierais. Il était piégé, condamné à répondre, à décrire les faits, à livrer les détails, le nom des meneurs qui risquaient au plus une tape sur les doigts, à s'expliquer, lui qu'on avait toujours privé d'explication, à faire amende honorable. Autour de lui, les murs se gondolaient, il avait la migraine. Il doit être à la fête, le gus, quand on l'amène à la chambre d'exécution et qu'il découvre la civière neuve avec les sangles et les gros ardillons.

Il parut alors ne pas entendre une question de Laura qui dut la répéter en forçant la voix.

– Et c'est quoi cette histoire de musette ?

– Quelle musette ?

– Ta rédaction raconte bien le souvenir d'une musette ?

– Et alors ?

Elle rougit sous la violence du ton. Et Pierre ne mit pas cinq minutes à se faire une ennemie de la femme qu'il aimait par écrit depuis des mois, en secret, en attendant le jour où, ses treize ans loin derrière lui, il espérait s'en approcher les mains libres et la tenir dans ses bras.

– Eh bien, cette musette ? demanda-t-elle, et son regard l'enveloppait comme de l'eau.

Elle cherchait à le faire parler, cette salope, à le manipuler. Il en avait la chair de poule.

– J'en sais rien, fit-il avec humeur en regardant les bouquins au-dessus d'elle, ça m'est venu comme ça.

Il avait écrit pendant la nuit : J'aime Laura, des pages et des pages, autant de j'aime Laura qu'il avait de battements de cœur dans la poitrine, et c'est en l'aimant qu'il venait à ce rendez-vous, pour tomber dans un guet-apens. S'estimant trahi il détruisait son rêve. Il ne pouvait plus la saquer. Il ne lui pardonnait pas cette ambiance familiale et tendue, ces regards lourds, cette accusation qui pleuvait de toute part sur lui, même des bouquins enfermés dans les hautes armoires vitrées. À l'instant d'improviser un mensonge sa voix se fêla. Il baissa la tête, mains jointes entre les genoux. Par sa bouche quelqu'un parla qui n'était pas lui mais qui l'écoutait comme ces trois salopes et n'en perdait pas une miette. La musette appartenait à sa mère autrefois, un truc de l'armée. Son père la lui avait donnée quand il était petit. Il y mettait ses jouets.

– Et elle a disparu ?

– Pas du tout. J'imagine qu'elle disparaît...

– Je ne vois pas le rapport avec notre affaire, coupa la directrice.

Il se ressaisit.

– Moi non plus, fit-il entre ses dents.

– Moi si, dit Laura. Cette rédaction, quelqu'un l'a lue chez toi ?

– Quelqu'un ?

Motus. Il devina ce quelqu'un dans son dos. Il sentit un souffle froid sur sa nuque, une main lui serrer la mâchoire. Il n'y croyait pas, il avait envie de pleurer. Elle n'attendait que ça, qu'il se noie, qu'il hurle à la mort sous les étoiles, et subitement une rage froide le mit hors de lui.

– Qu'est-ce que ça peut vous faire ?

– Ça m'intéresse.

– C'est ma vie privée qui vous intéresse ?

– Bien sûr que non, lança la directrice excédée par ce dérapage. Pour ma part je n'ai rien à ajouter et je propose que nous nous séparions. J'aviserai quelle suite donner à cette histoire après avoir entendu les autres élèves concernés.

Au lieu de se lever, il se cala sur sa chaise. La peur le changeait en matamore, il aurait voulu les gifler.

– Hé ho, comment ça se fait qu'une assistante sociale vienne fourrer son nez dans mes devoirs ?

Il n'en revenait pas de parler si fort, si vulgairement, il en suait d'angoisse. On allait le renvoyer du lycée, il était cuit, foutu. Marc allait tout savoir, ils devraient quitter la ville, il ne verrait plus jamais Laura.

– Moi j'ai bien envie de porter plainte.

– Allez, fit la directrice d'un ton bonhomme, un peu de simplicité.

Et, jugeant la séance finie, elle se hâta de la résumer. Mlle Meyer avait bien fait d'attirer son attention sur les pratiques délictueuses de la troisième C. On allait donner à Pierre les moyens de ne plus être embêté par ses camarades.

– Tant mieux pour toi si tu es doué, mais il n'y a aucune raison pour que tu en fasses les frais. À présent, ouste, rentre chez toi.

– Pourquoi mon père n'est pas là ? On a le droit de cuisiner un élève en cachette de ses parents ? C'est quoi cet interrogatoire de merde ?

– Reste poli s'il te plaît et rentre chez toi !

Il se baissa pour prendre son sac, il tremblait comme une feuille. Le chemin jusqu'à la sortie promettait d'être long. Elles allaient encore papoter sur son compte et couper les cheveux en quatre. Il n'osait pas lever la tête. Il était sûr que Laura le guettait.

– Et ta mère, tu as de ses nouvelles ?

Sa vue se brouilla, il n'entendit pas la directrice protester qu'elle dépassait les bornes. Il ricana, les yeux à terre.

– Vous savez ce qu'elle vous dit, ma mère, et moi...

– Tu as de ses nouvelles ?

Le sang dans la gorge il bafouilla :

– Complètement bidon votre histoire de racket, c'est vous qui cherchez à me racketter. Faudrait vous renvoyer du lycée, mademoiselle. Je vais le dire à mes parents.

Il n'était plus qu'une boule de désarroi sur la chaise, les bras ballants entre les genoux. Il ne comprenait pas ce que fichait la dirlo. Pourquoi ne lui disait-elle pas de filer, de prendre le large ? Chaque instant qui passait le ratatinait davantage et lui faisait le cœur plus lourd. Des nouvelles de sa mère il en avait, oui, autant qu'il voulait. Déjà, par Marc, il en avait. Dire le contraire aurait été un mensonge. Jamais son père ne l'aurait laissé sans nouvelles de cette femme dont le nom lui retournait l'estomac. Il était même question qu'il la ramène de Paris, comme chaque fois qu'il y allait pour la convaincre de revenir à Lumiol, de reprendre goût à la vie, de se rappeler qu'elle avait mis au monde un fils et qu'une mère, après tout, ce n'est pas rien dans la vie d'un enfant. C'est bien des larmes en moins, bien des soucis. Et d'abord on n'est plus jamais seul.

– J'en ai, dit-il en regardant ses baskets. Quelques-unes.

– Elle ne vient jamais ?

– Elle vient, si. Chaque fois qu'elle peut.

– Et tu la vois ?

– Bien sûr.

– Tu mens.

– C'est vous qui mentez, fit-il d'une voix qui s'étranglait.

Et d'une manière imprévisible, au beau milieu de cette bibliothèque où les livres reliés l'accusaient par centaines et s'effaçaient dans la brume, sa mère lui manqua. Cruellement.

Un an plus tard, presque jour pour jour, quand Laura le verrait menottes aux poignets se retourner pour lui faire un grand sourire à la sortie du tribunal, elle regretterait sa réaction stupide après la réunion. Elle se donnerait des excuses et les reprendrait aussitôt : la cigarette, l'insomnie, la vieillesse de ses parents, la bêtise d'un chef d'établissement plus soucieux des bonnes manières que de la sécurité des élèves. Et cette image finale de l'adolescent derrière un gendarme, lui souriant à la dérobée comme un garnement contrit, ne devait jamais s'estomper au fil des éternités qui s'écoulèrent avant qu'elle n'aille à Désertas lui demander pardon ; trop tard, mais pardon quand même. Il trouverait les mots pour la consoler et presque lui prouver qu'il n'avait jamais perdu son temps, grâce à elle, et que tout était bien ainsi. Sa mère – Nelly, n'est-ce pas ? – aimait les jardins, et les jacinthes qu'il venait de planter face à l'horizon dessinaient le mot LAURA.

Mouchée publiquement, vexée comme une fillette, Laura laissa Pierre prendre de l'avance et le rattrapa de l'autre côté de la place.

– J'aimerais qu'on parle un peu, toi et moi.

– On a bien assez parlé.

– De quoi tu as peur ? Très bien cette réunion, très au point ton numéro sentimental, j'applaudis. Des hypocrites j'en ai rencontré quelques-uns, mais aussi tordus que toi, jamais. Jamais, c'est inexact. J'ai rencontré ton père, une pâle ordure, lui aussi. Vous faites un sacré duo.

Il allongea le pas sans tourner la tête.

– C'est sympa que ta mère vienne chez vous. Réponds-moi, c'est sympa ?

Il voulut courir mais elle le saisit par le coude.

– Je vais te dire, menteur, t'as jamais eu de ses nouvelles, et moi non plus. C'était ma meilleure amie.

Il se dégagea brutalement et Laura cria dans le noir :

– Personne n'en a jamais eu !

XIII

Hé oui, quitter Lumiol, définitivement. Ayant hasardé ces mots tout embués d'alcool devant son fils tétanisé, Marc suivit son idée. La nuit même, une ferrailleuse couturée lui tira les cartes et survola du bleu, du grand, du lointain. Le lendemain, il filait à Paris ; il vit des consuls, des agents immobiliers, d'exotiques hôtesses lui remirent des brochures, il rentra chez lui convaincu. Non pas qu'il désirât partir ; il aimait cette vallée comme son ombre, ces collines où Nelly l'avait rejoint, il y était respecté, mais à moins de couper la langue à Pierre il devait plier bagage. Il avait une certaine habitude. Toute sa vie, tous les jours, il s'était échappé. Cette fois il emmenait un fils. Restait à l'avertir sans qu'il en parle ou transforme la nouvelle en rédaction. Pour la première fois il soupesait à sa juste valeur ce jeune homme qu'il allait être obligé d'élever encore un paquet d'années. Ils avaient frôlé la catastrophe, l'autre soir, au bord du ravin. Pierre n'y faisait aucune allusion, il s'abstenait de toute rancune apparente. Il traînait la patte comme s'il l'avait toujours fait, ou bien mérité. Une aisance morbide à lisser les aspérités. Si Marc n'éprouvait ni regret ni désespoir, il était conscient d'un nouveau danger. À treize ans Pierre se permettait d'avoir les muscles saillants, l'air moqueur, le sang vigoureux du fumier qui les avait détruits. Il fallait bon gré mal gré l'amadouer et l'emmener loin d'ici. Un beau voyage, une surprise.

Il organisa leur départ comme une évasion. Il n'était pas au bout de ses peines et quand il y parvint il n'était plus le même homme, mais quel homme avait-il jamais été ?

Trois semaines après leur empoignade à mort sous la neige, apparemment réconciliés, père et fils rentraient à pied du cinéma. Ça t'a plu ? Génial. Planant, le Tibet. Beaux paysages, belle musique. Pierre avait toujours mal aux mâchoires et la nuque raide. Marc lui tapotait gentiment l'épaule en marchant.

– On te donnerait le choix, fiston, tu vivrais où ?

– Au Yémen.

– Au Yémen ?

– J'aime bien le nom. C'est comme l'Espagne.

– Et le Tibet ?

– Le Tibet aussi, j'aime bien.

– Et Châtillon-sous-Bagneux ?

– J' connais pas.

La conversation se poursuivit sous d'autres ciels. Ça me plairait, oui, soupirait Pierre en réponse à des question vagues où son père annonçait un grand dépaysement qui leur ferait un bien fou, qui les délumiolerait une bonne fois, ils en avaient grand besoin. Il se moquait des Lumiolais qui ne sortaient jamais de chez eux, qui mettaient un point d'honneur à tout ignorer, le rayon vert, la banquise, les canyons, les lamas, le dalaï-lama.

– Tu me diras, les Tibétains ne se bousculent pas à Lumiol, on les comprend.

Marc ayant un petit creux, ils s'arrêtèrent à la Galiote, un camion-restaurant à l'entrée de la ville. Un néon mauve faisait clignoter sur le toit les voiles gonflées d'un vieux bateau. On y servait du vite cuit, vite mangé. C'était tenu par une ferrailleuse. Il y avait un tabouret au comptoir et par-devant deux tables en plastique blanc sous un parasol qui restait ouvert la nuit, ses fanfreluches attirant l'attention.

Ils s'installèrent. Il faisait doux, la radio chantonnait. Les reflets pâles du néon miroitaient sur la table et sur leurs visages. Ils étaient les seuls clients. Bien calé dans son fauteuil, Marc eut alors un sourire enjôleur, un tic facial qu'il semblait avoir étudié pour donner à son fils des palpitations.

– On pourrait l'emmener après tout ?

Pierre serra les dents et se tourna vers le comptoir du camion, une planche graisseuse, un flacon de sauce tomate à chaque extrémité, un transistor à l'antenne sortie, une ferrailleuse occupée à ranger.

– Ta mère, on pourrait l'emmener avec nous ?

Ta mère ! Ces mots lui sortaient par les trous de nez. Il fut sur le point de quitter la table et de traverser la route en courant.

– À ton avis, fiston, elle réagirait comment si on l'invitait ?

– Ce serait bien la première fois qu'elle réagirait, fit Pierre d'une voix à rayer les vitres.

Il regretta aussitôt d'avoir parlé, d'avoir paru prendre au sérieux cette lubie. Autrefois sa mère était un problème, un nom calamiteux, on respectait des conventions et quand on en parlait c'était mal à l'aise, le ventre noué, on sortait la gnôle, il était bien entendu qu'il ne pouvait s'agir que d'une salope sur laquelle il était inutile de s'acharner à deux. On la défendait pour mieux l'attaquer, à tour de rôle, on jouait à la traîner dans la boue, elle ne s'en relevait pas. Pendant des années il n'avait plus été question de la voir, on n'en parlait plus, elle était comme un sujet passé de mode, une vieille blague vidée de son sel. Et voilà que Marc y revenait depuis cette histoire de rédaction. Mais plus question de toucher à un cheveu de Nelly. On aurait dit qu'il se vengeait en installant sa mère entre eux comme une pauvre fille à laquelle il faudrait bientôt présenter des excuses. Il s'était soi-disant remis à la fréquenter, sur de nouvelles bases évidemment. Il multipliait les voyages à Paris. Il se sapait, il jouait les balourds en manque de bons conseils, partagé entre la romance et le devoir paternel.

– On l'emmène ?

– J'croyais qu'on déménageait pour qu'elle arrête de nous faire chier, pour la semer.

Marc parut embarrassé.

– Elle a tellement changé. Elle a besoin d'espace, comme nous. Alors ?

Il ne dit rien, torturé de honte. Il regarda son père tournicoter posément sa fourchette en plastique, dans une barquette de nouilles bleuies par les néons. Il n'était pas complètement idiot. Il avait lancé des appels à témoins sur le Net. Sa mère était bien née au Havre. Elle avait grandi là-bas, fait quelques études, rencontré son père, mis au monde un fils à Lumiol et disparu de l'écran. Vivrait-elle à Paris ou ailleurs, il le saurait. Ils seraient des milliers à l'abreuver de nouveaux détails. À moins qu'elle n'ait changé de nom. Mais pourquoi n'appelait-elle jamais à la maison ? « Elle a peur de tomber sur toi. Tu gâcherais tout. » Possible. Il n'était plus sûr de rien. C'était qui cette bonne femme qu'il appelait maman quand il était petit ?

– Tu te méfies d'elle, dit Marc. C'est vrai, elle a tout intérêt à m'embobiner. Je paie quand même son loyer, ses factures et ses petits extras.

Les coudes sur la table, il parlait d'une voix atone et lente, il cachait son regard.

– Vous allez refaire un môme ?

– On n'en est pas là, fiston, et Marc montra ses dents blanches.

Pierre prit un dessert parce que son père en prenait un. De même pour le café qui devait mijoter sur la plaque chauffante depuis le matin. La ferrailleuse apporta l'addition.

– On y va ?

– Tu ne m'as toujours pas répondu pour ta mère.

Sa vue se brouilla. Est-ce qu'il est fou ? Est-ce qu'il me croit fou ? Répondre quoi ? Plus il était question d'elle et moins elle existait. D'une armoire on extrayait une poupée. On l'époussetait, on la recoiffait, on l'habillait, on l'asseyait, on la faisait manger, on la couchait, on lui disait qu'elle était malade et qu'elle ne devait plus bouger, on lui disait qu'elle mentait, on la guérissait, on l'abandonnait dans un coin durant des mois, on la cassait, on la réparait, gentille Nelly, méchante Nelly, viens voir un peu, dis-nous ce qui ne va pas. À la fête des Mères, on lui envoyait une gerbe de fleurs de notre part à tous les deux, fiston, je me suis permis de signer pour toi. Et Nelly ne manquait pas de répondre qu'elle avait toujours aimé les œillets blancs et qu'ils avaient résisté au transport, bises à vous deux.

– Réfléchis, fiston, et reparlons-en quand tu auras la réponse.

Plongeant les deux mains dans les poches de sa veste, Marc en ressortit un fouillis qu'il étala sur la table. Pourquoi casser un billet quand on est riche de toute cette ferraille ? Il se mit à trier les pièces. Au passage, il semblait découvrir le contenu de ses poches. C'est quoi ça ? Une ordonnance. Et ça ? L'invitation pour le salon du rétromobile. Je t'emmènerai. Et ça ? Ah oui, marrant. Ce n'est qu'un polaroïd, mais on la reconnaît bien. Ouais, c'est bien elle. Tu veux la voir ? dit-il en poussant la photo vers son fils.

Pierre attrapa ses genoux sous la table. Ses mains tremblaient. À la lueur des néons il apercevait du coin de l'œil un visage de femme et ressentait une impression familière.

– Elle est belle, non ? dit Marc.

On voyait affleurer ou disparaître sur un fond noir un visage sombre aux yeux rouges, au premier plan quelque chose dépassait d'un chapeau.

– C'est quoi ce chapeau ?

– Un seau à champagne avec une bouteille retournée. Elle avait envie de s'amuser, c'était sa fête.

Lorsque Pierre avança la main vers la photo, son père la reprit. On allait la faire agrandir. Ça serait pas mal d'avoir sa bobine à la maison en attendant de partir tous ensemble. Il fit un clin d'œil à Pierre

– Allez, fiston, te bile pas. Elle veut du soleil et des eaux turquoise. On n'a rien contre ?

Fatigué du terroir il convoita d'abord les paradis lointains, de langue française, où débarquer en homme riche et d'emblée persona grata. Il faxa tous azimuts, posa ses jalons à Papeete, à Mayotte, en

Nouvelle-Calédonie, aux Seychelles, au Vanuatu. Il prétendait investir, ouvrir une agence dynamique et polyvalente, en gros régner sur les ploucs. Un bide. Nulle part l'argent ne se languissait d'un virtuose en recouvrement. Les maires le traitaient d'escroc, les compagnies d'assurances avaient leurs propres agents sur place, la police faisait son boulot, les marchés noirs étaient bien en main. Le cœur lui pinçait en constatant qu'une ville métropolitaine, au nom du drapeau, des croisés, de Charles Martel, de nos paysans tombés au champ d'honneur par millions, lui reconnaissait un pouvoir d'intérêt général que des cambrousses bananières, havres de tous les trafics, osaient lui chicaner. Il aurait bien changé d'activité, mais il s'était encroûté dans un monde à l'ancienne, et vue sur l'écran du Net son époque lui donnait des suées. On lui proposait bel et bien d'investir, de passer à la vitesse supérieure, de cliquer sur toison d'or.com, l'échelle du futur, de planter des fraises au Sénégal, d'acheter un sous-marin nucléaire échoué par deux cents mètres d'eau tiède au sud de Bornéo, une prise d'intérêts dans un bordel multiracial, cent trente-cinq filles bac + 3 minimum, ou la vraie pierre noire d'Énoch, communication immédiate avec les anges ; d'échanger tout son actif contre un pactole en stock-options, pactole encore à l'état gazeux, virtuel, mais convertible en or sensuel à la première occasion. Il éteignait furieux, impatient de revenir à Lumiol, son château fort, sa rivière à goujons, sa bonne vieille centrale nucléaire ornée d'un enfant peint comme un œuf de Pâques. Il maudissait le génie philosophal de ces nimbus en culotte courte qui prétendaient les absorber, son bas de laine et lui, pour l'enrichir. Il faisait un solitaire et cliquait sur cochon rose, son icône favorite. Il voyait s'afficher son avoir. Deux méchants millions placés. Treize ans d'efforts assidus. Il était locataire de ses bureaux, ne possédait aucun vignoble, aucun sous-marin naufragé, aucune fraise un peu rentable, il bricolait. Sa jolie maison blanche aux tuiles fanées ? Clopinettes. Ses 4 × 4 ? Payés à tempérament. Dire qu'il avait tablé sur dix millions en dix ans, soit un milliard à l'ombre duquel il pourrait aujourd'hui se pelotonner et susurrer : Je suis milliardaire, moi. On était loin du compte. Et qu'adviendrait-il de son cochon rose le jour où le grand méchant fisc soufflerait dessus ?

Et pourtant le boulot marchait bien. Le nouveau hall de kit ménager faisait un malheur. L'agence de recouvrement assumait aujourd'hui les prestations d'une véritable police, réputée pour son sérieux et sa vitesse d'exécution. On s'arrachait ses services. Mais à régenter, saisir, intimider, bousculer, secouer les tirelires, Marc Loupiens n'attirait pas que l'amitié. Il ne se dissimulait pas qu'il avait des soucis à revendre et, comme aurait dit Pierre le mielleux, que les nuages s'amoncelaient. Il n'avait pas moins de vingt-huit procédures sur les bras et sa mauvaise foi pour le défendre. Il s'était cru planqué, mais les temps nouveaux empoisonnaient aussi les trous perdus. Il y avait du danger partout : dans les aliments, dans l'eau, dans l'air qu'on respirait, dans les boîtes aux lettres, les souvenirs, l'amour, et le merle-Pierre allait sifflotant qu'il avait le bec assez grand pour avaler tout ça. Vivre, se répétait Marc avec effroi. Au voisinage d'un mot pareil c'était lui l'intrus. Il comprenait de moins en moins son époque et les entrechats du genre humain. Deux fois par jour il absorbait un cachet blanc contre un mal sans nom. Peut-être bien l'amour-propre, qu'il consiste à se détester ou à s'aimer trop ; sa peau contrariait ses mouvements, ses os l'enfermaient dans une cage, ses mensonges lui serraient la gorge. Un matin, dans un tiroir, il trouva une vieille plaquette de pilules contraceptives. Il la glissa sous son oreiller. Elle tintait à la manière d'un hochet. Je t'aime, un peu, beaucoup, passionnément. Il ne mit pas une semaine à tout avaler. Déjà que j'étais stérile !

L'année s'acheva sans qu'il ait choisi la région du monde où Pierre et lui pourraient contempler l'océan d'un cœur léger. Il s'y prenait mal. Indispensable à Lumiol, indésirable ailleurs, il se laissa rapatrier par un bon sens dont il n'était pas fier. Où aller ? Il interrogea sa mémoire et revit pour la première fois sa tendre épouse. C'était il y a bien longtemps. Il la trompait avec n'importe qui, n'importe où. Chaque soir il rentrait à la maison repu. Le week-end ils faisaient l'enfant. Du vendredi soir au dimanche soir :

l'enfant. Un calvaire. Embrasse-moi, caresse-moi, viens, jouis. Il imaginait des fouets, des clous, des ânes, il se torturait les méninges. Elle avait quinze ans de plus que lui. Elle faisait jeune, et plus on le lui disait plus elle rosissait. Le toubib lui donnait deux ans pour tomber enceinte avec bonheur. Elle ne désespérait pas d'avoir un fils de lui, ou une fille, un gros bébé joufflu, soupirait-elle. Il la consolait. Il trouvait les mots pour l'assurer que le bon vieux temps la préservait, lui qui rouille les cuirassés, flétrit falaises ou pyramides ; il n'altérait en rien sa bouche en cœur, ses petits seins ronds comme l'ivoire, la fraîcheur anisée de sa langue pointue, quelle jolie maman elle ferait bientôt. En douce, il regardait l'âge étirer sur elle ses pattes d'araignée. Il savait qu'ils n'arriveraient à rien, que le remède américain n'agirait pas mieux que les grigris du sorcier papou. Leur couple était foutu. Mieux valait changer d'air, il était parti. Quarante-huit et quinze égalent soixante-trois, mazette. Il avait quelque part une épouse de soixante-trois ans, pimpante, raffinée, les tennis aux pieds. Il ne risquait plus grand-chose à la courtiser. *Mon cher amour, c'est ainsi que tu m'appelais lorsque nous vivions ensemble, tu avais un cheveu sur la langue ou dessous, je jouais à l'attraper. Mon cher amour, comme toi j'ai connu la douleur d'une séparation forcée. Un deuil, un accident stupide. Et dix ans plus tard la souffrance est intacte, aussi vive et révoltante. Sans mon petit garçon, Pierre à l'époque avait cinq ans, je vois mal comment j'aurais pu m'accepter vivant. Tu as bien lu, cher amour, je suis père ou plutôt j'élève un fils, nuance que tu comprendras. À toi seule je peux raconter mon histoire, toi seule me connais...* Le doute s'insinuait au moment de poster la lettre. Il était tombé sur la tête. Le cher amour n'avalerait jamais cette piquette à l'eau de rose. Elle n'attendait qu'un signe de lui pour se venger. Vu la manière dont il avait déguerpi, dont il était monté dans un train pour se débarrasser des week-ends fornicateurs. Elle ne pouvait que le haïr, comme elle haïrait ce fils qu'il était allé dénicher ailleurs. Peut-être aussi qu'elle était morte ou timbrée. *Mon cher amour, tu avais un cheveu sur la langue, il doit être blanc comme neige à l'heure qu'il est. Je t'écrirai une autre fois, promis, sur tes quatre-vingts ans, lorsque tu m'auras fait savoir si la vie s'est finalement montrée douce avec toi, si je peux rétablir le contact avec ma vieille peau d'épouse sans y laisser la mienne, adieu, cher amour.*

Derrière lui ce n'étaient que brouilles et chien de la chienne, chantages au suicide, vociférations d'hystériques le poursuivant à poil dans l'escalier. Avoir eu tant de maîtresses et n'en trouver aucune chez qui se poser. La vérité, c'est qu'il n'y tenait pas. Il ne voulait aucun changement dans sa vie, rien qui pût faire de l'ombre à Nelly. Elle était là. Le deuil l'avait ressuscitée sous les formes légères d'un être immatériel qu'il pouvait modeler à son gré. Il parlait, elle répondait. Elle avait peur du noir et de toutes ces voix mortes, elle s'agitait et le réveillait. Ils s'enlaçaient dans un rêve de paille, ils ne faisaient plus qu'un seul et long frémissement.

Le grand amour avec l'absente pâtissait d'un avenir que Marc ne savait pas où mettre en lieu sûr. Son cœur battait à nouveau pour une morte aux yeux ouverts, un crime sans fin. En rêve ils s'enlaçaient toujours, mais leurs bouches étaient soudées par de la terre et du sang, la neige les recouvrait. Il pensait au dégel, il voyait tournoyer les oiseaux, salopards, ils l'avaient mangée. C'est maintenant qu'il l'a tuée, maintenant qu'elle gît. Il en avait assez de coltiner ce fardeau, courageusement, avec un beau sourire de cocu. Il étouffait sous le poids d'une moto rouillée et d'un squelette léger comme le vent. Ça le démangeait de voir l'oreille des flics se tendre au récit d'un témoin spontané, présent sur la départementale 83, non loin du col des Limites, à deux heures trente-cinq de la nuit, un samedi 25 avril d'une année lambda, j'étais au volant d'un 4 × 4 Chevrolet, elle sur une Triumph 125 aux pneus lisses, il neigeait. Je suis rentré à la maison avec un pare-brise étoilé, j'ai dû le passer au jet d'eau, un vrai puzzle de sang, les gars.

Lui qui n'avait cessé d'exiger motus, de se calfeutrer contre les bavards, rêvait d'héberger quelque fille aux lèvres muettes, aux yeux baissés, qui ferait partie des murs comme une bête, une salamandre, et la nuit viendrait l'écouter. Elle aurait des savates et de longs cheveux. Dans le noir, elle s'approcherait. J'ai perdu quelqu'un que je n'ai sans doute jamais possédé. Il en croisait parfois de ces inconnues nées pour surgir de l'ombre et se laisser prendre à sa voix. Tout à l'heure, alors qu'il défrichait la sauge au bord de la rivière, il s'était surpris regardant les yeux d'une femme arrêtée sur la route. Elle admirait les œillets le long du muret. Il s'était avancé pour en cueillir un, la marquer d'une fleur blanche, mais elle s'était éloignée gênée. Il avait laissé l'œillet sur le muret. Elle avait une mèche blonde et pâle en travers des yeux. Comme autrefois Nelly, comme tant d'inconnues de par le monde au même instant. Il rentra pour se préparer. Quand il ressortit l'œillet n'était plus sur le muret. Il en mit un autre à sa boutonnière.

Un an plus tard, revenu de partout sans y être allé, Marc admit l'évidence. Il n'avait ni les moyens ni l'envie des pays lointains qui l'avaient un moment tenté. Sans diplômes, sans métier, sans vraie fortune, il devait se résoudre à déménager modestement, l'œil sur un budget serré, conscient de perdre au change un prestige qu'il n'aurait plus. Que gagnait-il ? peut-être rien, peut-être la vie sauve. Ou bien l'instinct choisissait pour lui. Il s'endormait en voyant au milieu des palmes une villa blanche aux volets clos. Tant qu'il ne les verrait pas s'ouvrir, à quoi bon se précipiter ?

Un matin d'avril il se rendit à Paris pour signer un bail de location concernant un deux-pièces qu'il ne prit pas la peine de visiter. C'était clair, disponible dans le mois après un coup de blanc sur les murs. N'ayant pas les papiers voulus sous la main, il paya d'avance un an de loyer. L'après-midi, Marc s'inscrivit à un concours ouvert à tout bon citoyen intéressé par un poste de gardien des jardins publics. Il aimait l'ordre, il aimait les fleurs ; s'inscrire n'engageait à rien. De retour à Lumiol il invita Pierre chez Georges, un dîner de fête, une surprise.

– Pourquoi pas vendredi soir après le spectacle du lycée, j'ai une grande nouvelle à t'annoncer.

– Pas trop grande j'espère.

Si Marc n'avait pas eu dans l'âme un point de côté dont il ne voulait plus souffrir seul, si dès son plus jeune âge il ne s'était pas échappé de l'histoire simple où ses parents l'avaient fait naître, s'il n'avait pas toujours menti, toujours enfariné ses pattes de loup pour devenir cet homme impénétrable, ce bloc de nuit, il n'aurait pas été si près du dernier mot. Pour l'heure, il tire encore les ficelles, il croit dominer la chance et répartir les rôles, il pense qu'ils s'en vont dans un mois, son fils et lui.

XIV

– Comment tu t'appelles ?

– Ismène, chuchota-t-elle. Et toi ?

– Coryphée.

On ne respirait pas dans les coulisses, coincé entre la porte en fer et les cartons peints du décor.

- Je suis la sœur d'Antigone. Et toi ?

– Le destin.

– Pas mal.

Elle brillait dans l'ombre, éclairée par la lueur bleue du mot SORTIE. On voyait son nombril entre la mini-jupe noire et le cache-cœur blanc, les seins minuscules pointaient. D'une main, elle feuilletait son texte ou s'en éventait ; de l'autre, elle tenait gauchement un long fume-cigarette doré. Elle avait encore ses doigts potelés d'enfant, ses lèvres remuaient en silence. Une petite bonne femme de rien du tout juchée sur d'incroyables talons.

– J'ai le trac.

– T'es pas la seule.

Elle soupira. Elle avait dû s'asperger de sent-bon

sur tout le corps. Sans lâcher son fume-cigarette elle repoussait régulièrement du bout des doigts le flot de boucles dorées qui lui retombaient sur l'oreille et l'empêchaient d'écouter la pièce.

– T'es en quelle classe ?

– Cinquième. Et toi ?

– Seconde.

– Je t'ai jamais vu aux répétitions.

– Je remplace le prof d'espagnol.

Elle fronça son joli nez rose, sa bouche entrouverte par l'émotion, et Pierre vit se soulever sa poitrine. Elle n'en menait pas large, en effet. Le décor frémissait, les voix des comédiens invisibles résonnaient à quelques centimètres et leurs pas lourds arrachaient la poussière aux lames du plancher. Toute la ville assistait au spectacle de fin d'année, y compris Laura Meyer, la troisième à gauche au deuxième rang. La soirée solennelle avait débuté par un discours du maire sur l'importance du théâtre en cette époque renaissante, et dans une ville comme la nôtre où l'on saluait les nouveaux millénaires, où l'on vénérait le génie des anciens. La directrice avait répondu par un éloge de la municipalité qui reconduisait chaque année son aide à la section Art et Jeunesse du lycée Galilée. La prof de français avait eu l'air d'improviser un laïus sur le rôle de la famille et de l'enfant dans la Grèce antique. En deux mots, Laura Meyer était venue expliquer au micro le pourquoi humanitaire des paniers placés à la sortie, et le coryphée maniant une batte de base-ball gainée de velours rouge avait frappé les trois coups du destin.

– Ça va être à moi, gémit-elle en posant fume-cigarette et livret pour tirer sur sa jupe collée par la sueur.

Leurs regards se croisèrent et s'étant croisés ne se lâchèrent plus. Pierre n'avait jamais vu d'yeux si doux, si maquillés, et dans ces yeux comme une détresse d'écureuil ; des yeux pour les fermer l'instant d'après.

– Eh bien, vas-y, dit-il.

C'est alors que la foudre s'abattit sur la colline de Lumiol et que les lumières s'éteignirent à des kilomètres à la ronde. Ismène poussa un cri. À tâtons Pierre effleura ses bras nus, prit ses mains, sentit un souffle ardent sur son visage, et dans le noir il l'embrassa, l'embrassa, se laissa choir à travers ce baiser frissonnant, les bras d'Ismène autour du cou, ses boucles parfumées lui balayant les joues. Leur baiser s'éternisait, le bruit maternel du tonnerre les enveloppait. Quand il cessa la lumière n'était toujours pas revenue, le public s'impatientait. À deux pas, les comédiens toujours en scène riaient et d'une voix grave de tragédie se donnaient rendez-vous au bistrot du coin. Le spectacle tournait court, les appels au silence de la directrice tombaient dans un brouhaha qui s'enflait.

– Par là, dit Pierre en voyant la veilleuse indiquer SORTIE.

La porte en fer ouvrait sur les arrières herbus du lycée, un espace de rebuts hétéroclites, plâtres brisés et chaises bancales mangés de liserons. Un sentier descendait pour remonter aussitôt vers la forêt livide au ras du ciel noir. Il faisait encore plus chaud dehors que dedans. Un éclair embrasa la pénombre violette et l'on aurait pu compter les yeux des lapins terrorisés à l'orée du bois. La pluie se mit à tomber, diluvienne, enfumant la colline, et la porte claqua derrière eux.

– Viens, dit-il en prenant la main d'Ismène.

Ils coururent se réfugier sous les feuillages des chênes verts qui ne tardèrent pas à dégouliner. Pénétrant dans la forêt, ils atteignirent une cabane fermée par un cadenas qu'ils renoncèrent à forcer. Plus loin, une échelle de bois brut s'élevait à pic au milieu des branches. Abandonnant ses talons, Ismène monta la première, et, la suivant, Pierre empoigna les barreaux tièdes. À travers les giboulées ils dépassèrent les cimes des plus hauts arbres et débouchèrent dans une espèce de nid-de-pie secoué par le vent, tapissé de grêlons. Ils ne s'entendaient pas. Assis sur les planches, ils faisaient le dos rond en écoutant l'orage s'éloigner. Au fur et à mesure que la pluie diminuait la forêt revivait au-dessous d'eux, les oiseaux retrouvaient la voix, gazouillis, babils, trilles, croassements, roulades, un concert de clameurs émiettées saluait l'embellie. L'air embaumait la résine et la chlorophylle. Appuyée des omoplates au garde-fou, Ismène riait et claquait des dents ; ses cheveux étincelants lui pendouillaient sur les chevilles, les ongles peints en noir de ses pieds serrés imitaient un clavier. Elle avait l'air émerveillé. Pierre se releva, si collant et fourbu qu'il avait l'impression d'avoir sur le dos une lourde peau de poisson. La vision lui coupa le souffle. Le nid-de-pie semblait voguer au-dessus des feuillages, de la vallée, des rivières, des rails, des villages, regardant le cirque vaporeux des collines sur tout l'horizon. Et dans cette liberté du regard sans limites, Pierre se faisait l'effet d'un esprit planant vers un point précis, lui-même. En bas il voyait Lumiol drapé d'ombres engourdies, il voyait la mairie, la place aux acacias, le lycée, et là-bas sa maison, sucre blanc debout sur la rive.

– Regarde, dit-il, c'est chez moi, et il se rappela la photo de sa mère.

Tournant les yeux il vit la jupe et le cache-cœur d'Ismène étalés sur le garde-fou.

– Ça va vite sécher, dit-elle, passe-moi tes affaires.

Penchée en avant, elle parlait à travers l'écran de ses longs cheveux rabattus qu'elle essorait à pleines mains comme des torchons.

Si l'orage n'avait pas éclaté sur Lumiol, si par l'œilleton du décor il n'avait pas vu Laura Meyer croiser les jambes et les décroiser, si par hasard il n'avait pas effleuré cette peau duveteuse et touché d'un baiser cette bouche de petite comédienne ivre de peur, si jadis un bateau n'avait pas semé ses débris enflammés sur un étang, si Marc n'avait pas dit : Grande nouvelle...

Pierre ôta sa chemise et son pantalon. Rejetant ses cheveux en arrière, Ismène lui tendit les mains paumes vers le ciel.

À son retour, il trouva Marc au portail, immobile, lui barrant l'entrée.

– Arrête de siffloter, lui dit son père. Je suppose que tu as une idée de l'heure.

Il brandit son avant-bras devant le visage de Pierre qui sentit contre sa bouche le contact froid du métal. Il refusa la peur, attrapa le poignet de son père et lut sur la montre :

– Une heure et demie... Antigone a rejoint Polynice, le crime est consommé.

Il voulut soulever le loquet, mais son père le repoussa.

– Il me semble qu'on avait rendez-vous chez Georges.

... Où je ne serais pas allé pour tout l'or du monde, pensa Pierre, envolé sur un nuage de pure douceur où il zappait d'une merveille à l'autre, les genoux de Laura, le nombril d'Ismène, son ventre doux comme l'ivoire, la gorge et les seins frottés de paillettes fluo qui s'allumaient sous les doigts, les jambes roses autour de son cou, tous deux bécotant leurs peaux meurtries par l'orage, deux angelots à peine étonnés d'échanger en plein ciel leurs plumes et leurs caresses, l'ayant toujours fait, ne se rhabillant qu'à la sortie du bois.

– Entre-temps j'ai oublié, dit Pierre avec ennui. Le paradoxe du comédien, je t'expliquerai. Je n'étais plus moi-même après la pièce, et je ne le suis pas encore. Désolé pour ta grande nouvelle. On verra ça demain. Maintenant laisse-moi passer, j'ai du boulot.

Marc s'interposait toujours entre le portail et lui.

– Où sont mes chaussures ?

– À mes pieds j'avoue. Elles sont un peu mouillées.

– Et crottées.

– Et crottées, si tu veux.

– Rends-les-moi.

Pierre se déchaussa sur la route.

– Ça y est, je peux passer ?

– Tu ne crois pas que je vais les ramasser.

Il baissa la voix pour lui souffler au visage :

– Hé, coryphée de mes deux, c'était comment ta pièce ? T'as braillé comme tu voulais ? t'as poussé ton cri ?

– Super. Dommage que tu ne sois pas venu.

– J'y étais.

– Ah ouais.

Il en eut la chair de poule et se dit aussitôt : pipeau. Il hait les profs et tout ce qui touche au lycée. Il signe n'importe quoi. Il n'y comprend rien, ça lui file des complexes, il change de sujet dès qu'on en parle, il aimerait voir détruits tous les lycées. Il ne doit même pas avoir le certificat d'études, il me rase.

– Et tu m'as trouvé comment ?

D'ici qu'il me dise : Ta mère était là, elle a fait le voyage spécialement pour te voir sans être vue, elle s'était pomponnée, elle a pleuré, elle t'en veut à mort. Il ment.

– Je ne t'ai pas trouvé.

Pierre eut un rire évasif, il fut dans les airs au milieu des feuillages, les seins d'Ismène étaient comme des fruits doux et ronds, sa bouche lui donnait des frissons sous la langue et les frissons zigzaguaient sur lui dès qu'il y pensait.

– Tu devais regarder ailleurs. Ou bien tu t'es tiré avant la coupure d'électricité.

– ... Une minute au plus, la panne. Mlle Meyer a dû lire ton rôle et ta prof de français celui de Chimène.

– Ismène ! aboya Pierre, effaré. Maintenant fous-moi la paix.

La gifle qu'il reçut lui coupa la respiration et des larmes lui jaillirent des yeux.

– Raconte-moi d'abord ta soirée.

– J'ai rien à raconter.

– Moi si, dit Marc, et dans l'ombre Pierre vit briller un sourire de loup. C'est curieux la façon dont les choses s'enchaînent. Tu me poses un lapin, je fais une rencontre et je te suis presque reconnaissant. J'ai passé un excellent moment grâce à toi. Le hasard, fiston. J'ignorais qu'il existait à Lumiol des gens courtois. Figure-toi que les huiles du lycée dînaient chez Georges après le spectacle et que me voyant seul, délaissé par mon fils, ils m'ont fait une place à leur table. C'est pas courtois, ça, d'inviter à dîner le père du petit salaud qui vient de saboter leur soirée ?

La voix de Marc se fit caressante, il avait dû boire.

– Tu la connais, toi, Laura Meyer ?

– Non.

– Charmante. J'étais assis à côté d'elle au dîner. J'aurais pu tomber plus mal. Elle se demandait si j'étais bien le père du coryphée volage qui raconte si joliment les souvenirs. Elle se rappelait un petit chef-d'œuvre à propos d'une musette égarée. La directrice m'avait déjà signalé ce bijou, tu parles que je m'en souvenais.

Pierre baissa la tête et son père lui prit le menton.

– Eh bien quoi, ce n'est pas vrai que tu es bon en français ? Que tu racontes les souvenirs comme personne ? Qu'est-ce que tu leur trouves aux souvenirs ? Pour moi, c'est des nids à cafards.

Il lui pinçait le bout du menton tout en continuant ses flatteries perfides. Bon élève, bon fils, discret, ponctuel, une belle nature. Il vous fait prendre des vessies pour des lanternes et tout le monde applaudit. De qui peut-il tenir ?

– Entre nous, ta mère est plus douée pour les fleurs que pour les discours. Dès qu'elle ouvre le bec elle perd ses moyens. Une gentille fille, mais on évite de la sortir.

Il eut un rire canaille.

– Mademoiselle Meyer, en tout cas, c'est pas une timide. Un bail qu'on ne m'avait pas fait un tel rentre-dedans. D'ici qu'elle veuille devenir ta belle-mère y a pas des kilomètres. Pourtant elle ne te porte pas dans son cœur, elle n'aime pas trop les petits cons.

– Elle préfère les sacs à vin, lança Pierre et, tournant les talons, il partit en courant.

Passé la voie ferrée, la lumière de la ville apparut. Un bruit de moteur le jeta dans le fossé, les mains sur les oreilles. Le 4 × 4 passa en trombe. La nuit se remplit d'aboiements.

La pièce avait eu lieu malgré l'orage et Laura était montée sur scène. Elle avait dit en l'absence de ce petit con je me dévoue merci de votre indulgence et n'en profitez pas pour vous rincer l'œil. Tout le monde avait regardé ses jambes, Marc le premier. Et plus tard le destin les avait cueillis par la peau du cou comme deux chatons pour les placer côte à côte aux lueurs d'un souper aux chandelles. Il en avait la nausée. Il fuyait cette image, son père et Laura s'épanchant à ses dépens. Fermez-la !

Il allait par les sentiers chez Antigone. La grande soirée d'après spectacle, en costume s'il vous plaît. Il était hirsute, pieds nus, la chemise blanche trempée. Il avait depuis longtemps déchiré son carton d'invitation. Il avait toujours snobé cette bêcheuse avec ses ronrons de petit fauve érotique élevé dans la soie. Et voilà qu'il était impatient d'y être et de parader, de prétexter l'orage, la porte en fer claquée par la bourrasque. Elle ne demanderait qu'à comprendre. Fut un temps où Mademoiselle Antigone laissait traîner ses mains angéliques auprès des siennes. Dans cinq minutes, il lui sauterait dessus.

Elle habitait sur les hauteurs de Lumiol la plus belle villa du quartier chic, une bicoque impossible à rater avec sa terrasse en demi-lune et ce flot de musique à noyer les cactus. Comme il arrivait, un feu d'artifice illumina la campagne, il entendit des applaudissements et des rires.

Personne à l'entrée du hall obscur, hormis une longue femme noire à robe rouge sans bretelle, engagée dans la spirale illuminée d'un escalier blanc qu'il dépassa comme en rêve. Un gag, apprendrait-il un jour, une étudiante recrutée pour flanquer des vapeurs aux invités mâles filmés à leur insu, une black payée pour être black, pour masser le foie des Lumiolais qui trouvaient ça merveilleux, cette Africaine-ascenseur, cette vision paradisiaque de leur phobie. Quelle trouvaille !

Il traversa, les joues en feu, un premier salon où les rires et les douceurs d'un orchestre à sérénades subissaient les coups de boutoir de la sono proche. Il salua vite fait la maîtresse de maison, se faufila parmi les tables, atteignit le salon des juniors et se crut un instant chez les siens. La fête battait son plein. Au premier coup d'œil, il comprit qu'il n'était pas dans la note. Trop de monde, de cris, de spots lumineux. Sur l'estrade, un Créon ivre mort haranguait au micro les filles qui dansaient ou déambulaient mollement enlacées par des sigisbées en nage. Aucun regard ne voulut croiser le sien, aucun sourire ne l'accueillit. Les groupes s'ouvraient à son approche et se reformaient dans son dos, il aurait pu marcher des kilomètres sans trouver personne à qui parler. Il avançait en bousculant les danseurs, il avait encore au bout des doigts le sent-bon d'Ismène, il mourait d'envie de leur faire humer cette fleur et de les injurier, charognes !

À la recherche d'Antigone il passa devant les toilettes, le rendez-vous des laiderons surénervés, arriva dans la cuisine où deux filles, en consolant une troisième accroupie dans l'évier, le prièrent de dégager. Il retourna danser le verre à la main, mais le chagrin lui plombait les veines et, planté sans bouger, il entendait : « C'est lui, c'est pas vrai qu'il est venu. » S'il fermait les yeux, il retrouvait la sale gueule de son père. Il s'approcha de la terrasse et tomba sur deux comédiens en imper brillant, comme découpé dans de la tôle noire, les sbires de la garde royale de Créon. « Halte-là, ducon, c'est privé, la terrasse. » D'un regard en enfilade, il aperçut dehors Antigone et le roi dérivant en grand uniforme blanc d'amiral anglais. « Juste une seconde, les gars, la fille là-bas, elle m'attend. » « Fous le camp ! » Le souriant Créon s'avança, plus dégingandé que jamais, un brave mec celui-là. Il avait les nerfs malades, il fuguait les nuits d'hiver pour coucher sur les bancs publics et disait que d'autres le faisaient bien, que ses parents avaient trop d'argent. « Tu nous as plantés », dit-il, la main tendue, mais quand Pierre voulut la serrer il la releva brusquement. Il avait l'air doux et fou, les yeux injectés de sang, des taches de vin sur la veste, il répétait d'une voix mourante : « C'est pas toi qui as fait saigner ma sœur ? Elle n'a pas pu jouer parce qu'elle saignait à cause de toi. Elle dit que c'est normal, mais c'est toi qui l'as fait saigner. » Antigone ondula vers eux, habillée d'une mini-robe étriquée vert pâle, et Créon l'embrassa dans le cou, ma reine, il venait de la jeter en pâture aux fauves, il ne s'en remettait pas.

– Tu danses ? dit Pierre.

Il crut qu'elle allait pleurer, mais soudain radieuse elle s'empara de sa main pour l'emmener sur l'estrade où le chanteur lui céda le micro

– Grande nouvelle, fit-elle d'une voix qu'un enthousiasme théâtral essoufflait. On se demandait tous où était passé notre coryphée, s'il n'avait pas été mangé par les petits cochons, si le trac ne l'avait pas totalement liquéfié dans les cabinets, pas du tout. Il est là sous vos yeux, en costume de scène. Il ne peut malheureusement pas rester parmi nous, car nous ne sommes pas assez bien pour lui, mais avant que vous ne l'applaudissiez bien fort il tient à vous expliquer pourquoi nous ne l'avons pas vu sur scène...

Elle lui tendit soudain le micro, il le prit et le posa par terre comme s'il brûlait. Il redescendit sous les sifflets et les huées. Cette fois, il sortit des salons en jouant des coudes, il retraversa la baraque et l'Africaine monta pour lui l'escalier spiralé du hall, il fut dehors, aspirant l'air sirupeux des jardins sous les étoiles. Quand la musique faiblit il regarda par-dessus son épaule la tache bleue d'une piscine éclairée, la tache sombre de la terrasse où l'on dansait toujours.

En bas c'était l'ombre métallique de la Dive. Il huma ses doigts. Il se rappela le cache-cœur déboutonné séchant sur le garde-fou, les yeux d'écureuil apeurés, les paumes tournées vers le ciel. Coryphée de mes deux. Il revoyait Ismène et lui dans cette bulle envolée dont ils n'auraient pas dû sortir. Dans la bulle il reconnut sa mère en train de lire un livre. Elle était très absorbée depuis des années. Elle n'arrivait jamais au bout du livre, elle lisait sans lever la tête et rien faire d'autre que tourner les pages en silence. Il aplatit son nez contre la paroi transparente. Il était si près d'elle et si loin. Maman, laisse-moi lire aussi. Il vit alors Marc essayant d'embrasser Laura et il eut peur. Il s'arrêta. La lune montait, voilée par un nuage, des yeux se perchaient dans les arbres, des rires intermittents s'étiraient. Être aussi trouillard. Il crut voir la masse noire de la Chevrolet. Papa ? murmura-t-il en direction d'un feuillage énorme au bord de la route. L'obscurité lui soufflait à l'oreille : grande nouvelle, fiston, elle a perdu la mémoire, elle yoyote, elle ne sait plus qui tu es. Grande nouvelle : elle s'est fait agresser dans le métro, coma dépassé, ta mère est dépassée, mon grand, on est libres, on n'a plus besoin de se planquer. Grande nouvelle : l'avion s'est écrasé dans la mer, aucun rescapé, soi-disant elle venait nous voir, tu parles, elle allait n'importe où se taper je ne sais qui, avec mon pognon, bien fait pour sa gueule. Grande nouvelle : on va se marier, Laura et moi, elle est enceinte... Pierre courait à petites foulées pour ne plus avoir que le bruit du sang dans l'oreille.

Au lieu de suivre l'embranchement qui l'amenait à la maison, il continua tout droit comme s'il voulait quitter la région. L'autre jour, au barrage, on avait repêché le corps d'un vieillard déchiqueté par les turbines, un pêcheur, on l'avait forcément poussé à l'eau. Il s'arrêta, plié en deux, hors d'haleine, la plante des pieds à vif. Il tomba sur le dos, les bras en croix. Il crevait de soif. Il arracha sa chemise et la mit sous sa nuque, il allait rester là dans la nuit, il ne fermerait pas les yeux, ne penserait à rien. Au bout d'un moment, il distingua des gradins autour de lui. Il n'était plus sur la route mais dans un stade au milieu d'une pelouse. À tous les coups le terrain de base-ball. Il n'y était jamais venu. À Lumiol personne ne jouait au base-ball, il n'y avait pas un seul inscrit, sauf le maire, pour l'exemple.

Il se recouchait dans l'herbe et s'apprêtait à roupiller quand il fut sûr d'entendre un moteur. Il scruta la trouée noire de l'unique entrée et se carapata vers les gradins. Comme il arrivait à la balustrade il fut arrêté net par le grillage anti-agression. À moitié assommé, il fit volte-face. Il vit la lumière d'un phare au bout du stade. Une moto. Le nuage de poussière qu'elle soulevait flottait sous les étoiles. Zigzaguant sur la pelouse, elle prit son élan dans un rugissement de gaz, de rires et de sono pour s'arrêter presque à ses pieds. Une belle machine blanc crème pilotée par un Créon lunaire. Derrière arrivaient Antigone et les deux marlous en ciré noir. Ils avaient coupé la musique, laissant allumé leur phare qui dessinait un grand cercle blanc sur le grillage et sur l'herbe. Ils entouraient Pierre avec intérêt, comme un blessé, Créon ne tenait plus debout. Son uniforme s'ouvrait jusqu'à la ceinture.

– Polynice est mort, fit-il d'une voix compatissante. C'est moi qui l'ai condamné. Je suis le roi, coryphée.

– Il est joli, le roi ! Barrez-vous.

Créon parut réfléchir un instant, les marlous la bouclaient, Antigone ondulait, les bras levés, elle semblait chatouiller les moustiques.

– Impossible, coryphée. Toi aussi t'es condamné.

– C'est ça, mon pote, va cuver. Tu me condamneras demain si t'as le temps.

– C'est ce soir que t'es condamné.

Créon fit alors un sourire penaud et tomba dans les bras de Pierre avec des serments d'éternelle amitié.

– Remballe-moi tes poivrots, dit Pierre à Antigone. J'aime pas les rois bourrés.

Il chercha son regard, mais elle se la jouait toujours danseuse orientale.

– T'as peur, fit l'un des marlous, ça se voit

– Ça se voit et ça se sent, dit l'autre marlou. C'est toi qui pues comme ça ?

– Hé non, c'est toi. C'est ton savon spécial anti-métèque.

Créon parut trouver ça drôle. Il appréciait l'humour de Pierre en connaisseur, il voulait toujours s'asseoir à côté de lui, qu'on les voie ensemble au bistrot. Il dit, d'un ton gentil :

– Baise les pieds du roi, coryphée.

– Arrête de m'appeler coryphée, pauvre con !

– T'as bien baisé ma sœur, tu l'as fait saigner et Créon claqua mollement des doigts, à la manière du chirurgien qui réclame un instrument.

À son rythme lascif Antigone alla vers la moto pour en revenir, brandissant comme une majorette au défilé la batte de base-ball gainée de velours. D'un mouvement gracieux elle la remit à Créon qui la soupesa, la fit passer d'une main dans l'autre, cherchant la meilleure prise, à la fois godiche et menaçant.

– Fais quand même gaffe, lui dit l'un des marlous en lui saisissant le poignet comme on attrape le collier d'un molosse imprévisible.

– C'est moi le roi, dit Créon tristement.

Il tenait la batte à deux mains, la posait sur son épaule et la faisait redescendre lentement comme une hache. De la pointe il effleura délicatement le visage de Pierre, sa poitrine et son ventre, en comptant jusqu'à trois.

– On y va, dit un marlou. On n'a plus rien à foutre ici

– On y va, dit Antigone en enfourchant la moto.

– On y va, dit Créon. Cool...

Prenant appui sur la batte il pivota sur les talons et repivota vers Pierre toujours le dos au grillage.

– ... mais d'abord je frappe les trois coups, je venge ma sœur, écoute bien coryphée.

Et Pierre entendit le monde exploser.

XV

L'après-midi finissait, lumineuse et douce, au chant des gros-becs dans les tilleuls. Marc tendit l'oreille. Des gosses revenaient de la plage. Il n'en pouvait plus d'être seul, d'imaginer Pierre écrasé, poignardé, noyé, disloqué au fond d'un ravin. Il avait appelé cent fois les hôpitaux et la morgue, et maintenant ses nerfs lâchaient. Il avait passé la nuit à boire du café, la journée à boire de l'eau. Il s'était fait des œufs qu'il n'avait pas touchés. Il avait essayé d'attendre en haut, en bas, dehors, chez Georges, et c'était encore ici, dans la chambre de Pierre, à sa table, qu'il était le moins mal. Il ne voulait ni s'allonger ni fermer les yeux, ni voir se contorsionner les images de Pierre. Avachi sur le tabouret à vis, bras pendants entre les jambes, il guettait les bruits et surveillait le velux entrouvert où les reflets se faisaient ombres et, mine de rien, ramenaient la nuit. La deuxième nuit sans nouvelles de son fils. L'horreur.

Ce matin, au bruit d'une moto, il s'était précipité au portail. Il faisait encore noir. Il ne savait plus dans quel temps il vivait et, contre l'évidence, il se voyait les attendre tous deux, la mère et son fils au chaud dans la musette, Nelly et Pierre. Le bruit mourait, s'amplifiait, ricochait sur la lune et descendait vers lui, une longue note filée du fond des âges, un espoir fou. Il en souffrait encore. Elle sortait presque tous les soirs, la garce, et, s'il avait le malheur de ne pas dormir à son retour, elle l'accusait de l'espionner. Il avait juste envie d'elle, une insomnie d'amour, tous les hommes en ont. Ton petit corps, Nelly, pourquoi pas moi. Elle lui disait : jamais. Il la suivait dans l'escalier. Ton petit corps, Nelly, il sent bon. Tu l'as donné cette nuit ? Tu me dis oui ou non, mais tu réponds, je ne suis pas un chien. Elle se jetait tout habillée sur le lit. Au moins dis-le si tu l'as donné, ça me coupera l'envie, je dormirai. Je m'intéresse à toi qu'est-ce que tu veux. Son petit corps, il en avait eu marre de l'imaginer entre les mains des autres. Et si la vie recommençait, il recommencerait à la suivre dans l'escalier, à la respirer jusqu'à ce qu'elle en crève. C'était mal de vouloir la serrer contre lui quand il avait trop attendu ? Pour une fois qu'il mettait son cœur dans la balance. Elle, rien du tout, pas un gramme de pitié. Elle voulait juste récupérer son fric.

Il posa ses mains crispées sur la table. Il en connaissait tous les graffitis, l'avion, le gibet, les soleils, les bouches, les seins, les tortillons, les numéros, le poème de Kipling, et cet Arol un peu partout qui voulait cacher Laura. Des livres s'empilaient d'un côté, des cahiers de l'autre, un bouquet de stylos fleurissait un bol ébréché. Ici Pierre travaillait, faisait grincer la vis du tabouret, agitait en secret des questions dont son père, et nul autre, avait la réponse. Ici Pierre doutait, se souvenait, regardait la réalité sous un jour fidèle à ses impressions d'enfant. Ici, Pierre était bien le fils de Nelly dont le nom manquait sur ce bois griffonné parmi les Arols et les soleils. Je sais pourquoi tu pars, pourquoi tu es distrait, pourquoi tu manges trop, pourquoi tu parles fort, pourquoi tu ris à mes plaisanteries, pourquoi tu es maladroit, pourquoi tu ne boudes jamais, pourquoi tu n'as pas d'amis, pourquoi tu es vantard, pourquoi tu bidouilles sur le web à des heures impossibles, pourquoi tu es indifférent, sans projet, distant, méchant, pourquoi tu n'es pas venu l'autre soir : « Tu penses à ta mère, fiston, tu l'attends », soupira Marc en levant les yeux sur la petite photo collée au mur par quatre rubans adhésifs au-dessus du bol à stylos. Ta mère, ce polaroïd ! Cet infect souvenir, une pigeonneuse croisée l'an dernier au sous-sol d'un bar, elle n'arrêtait pas de lui montrer ses seins refaits, de vanter la beauté des cicatrices, une main sur sa jambe, l'autre sur les bouteilles de champagne à peine entamées qu'elle retournait dans les glaçons d'un gibus de croque-mort. Il voulut arracher la photo, mais les rubans adhésifs étaient trop fins pour ses ongles. Une pute, fiston ! « Tu penses à ta mère, et moi je mens. »

Il entrelaça les doigts et fit craquer ses phalanges. Il avait toujours menti, à ses parents, à sa femme, à

Nelly, il mentait à Pierre. Il éparpillait les morceaux d'un moi qu'il n'avait jamais connu dans son entier, pas même enfant. Déjà son nez bougeait. Dans le ventre de sa mère ? Il lui donnait de faux espoirs. Sa théorie du mensonge intrépide et réparateur était une fumée par-dessus la fumée : on ment pour aimer partout où l'amour vous ouvre la porte et vite retourne au lit sur ses jolis pieds nus. On ment pour filer par les toits et se trouver une autre lucarne où l'amour attend qu'un voleur frappe au carreau, des croissants dans les bras, le corps transi. On ment par pitié, on ment par gentillesse, par franchise, par jeu, par défi... Il ne supportait plus cette bouillasse et, voyant ce polaroïd aux yeux rouges, il avait envie de vomir. On ment pour mentir. Il n'était qu'un sale petit malfrat à court de charme et d'arguments véreux. Il s'en fichait d'avoir trompé les femmes, elles sont armées contre les pillards, elles pillent, elles renaissent, mais un enfant... Un enfant trompé disparaît à l'intérieur de lui-même et s'éteint en secret. Il feint d'exister, il ne revient plus. Reviens, fiston. Ce gosse reconnu par foutaise était devenu son fils, il l'aimait. Les ronces finissent toujours par repousser.

Comme il s'apprêtait à fouiller la chambre encore une fois, la sonnerie du téléphone le jeta dans l'escalier. Laura Meyer, très agressive. Elle demandait Pierre. « Il n'est toujours pas rentré ? Et vous restez chez vous, les bras croisés ? Vous êtes totalement inconscient ou quoi ? Ça ne vous a pas suffi, Nelly ? »

Il éclata dans un appareil où personne ne l'écoutait plus. Petite salope, elle l'avait bien eu. Il ne comprenait toujours pas comment la soirée d'hier avait pu dérailler. Il se revoyait chez Georges après la pièce, attendant Pierre, épuisé par son voyage à Paris. Toute la ville l'avait vu poireauter, il avait serré par dizaines les mains compatissantes et par dizaines de fois répété qu'il était honteux pour son fils, un an de répétitions foutu en l'air, quel petit con ! De fil en aiguille il s'était retrouvé à la table officielle entre deux profs, avec en face de lui cette fille aux yeux verts qu'il était sûr d'avoir déjà vue. D'ailleurs elle aussi. Elle était familière et souriante. Elle n'arrêtait pas de jacter, de vider son assiette dans la sienne, sous prétexte qu'elle n'avait pas faim. Elle l'avait fait boire énormément. Ils avaient tous un coup dans l'aile, le maire en premier. Cet imbécile avait voulu chanter après les liqueurs. Il ne restait plus grand monde à part cette fille un peu collante, deux flics et quelques acharnés du digestif à l'œil.

À sa demande il l'avait raccompagnée chez elle et, comme il se sentait bien, il avait fait un détour par la nationale. Elle semblait contente, il se passait vraiment quelque chose entre eux. Arrivé devant son immeuble, il se rappelait qu'il avait eu des mots gentils, comme un homme un peu paf en dit à une jolie femme qu'il vient de ramener en voiture à sa porte. Elle n'avait pas l'air pressé de le quitter. Il avait pensé : j'ai ma chance.

– On y est.

Elle lui souriait dans l'ombre, il souriait aussi, il faisait jouer des muscles dont il ne s'était plus servi depuis des siècles.

– Vous conduisez bien pour un homme soûl.

– N'exagérons rien.

Elle attendait patiemment qu'il trouve des mots amusants pour faire durer l'instant, mais il était passablement rouillé côté baratin.

– Je viens d'avoir une vision. La portière de votre frigidaire garnie d'une bouteille de tavel bien fraîche et d'un carton de lait.

– Vous êtes voyant ? Allons-y, dit-elle en ouvrant la porte.

Il prit ses clés.

– Et Pierre ?

– Qu'est-ce qu'il a, Pierre ?

– Vous n'êtes pas inquiet ?

– Pour ce petit con ? Je vais vous dire, Laura, Pierre est un trouillard, et pourtant c'est mon fils. Il n'est pas venu jouer son rôle uniquement parce qu'il avait les jetons, je le connais. Ce n'est pas lui qui va m'empêcher de monter chez vous boire mon bol de lait.

– Votre fils disparaît et vous ne le cherchez pas.

– Mon fils n'a pas disparu, il m'a planté, c'est un peu différent. Il s'est tiré, comme mon chien, mon bon vieux Totin.

Elle souriait toujours. Sa bouche brillait, ses yeux brillaient, il urgeait de l'embrasser. Elle espérait un premier baiser dans la voiture, ça s'imposait, et lui aussi il en avait très envie, sauf que toute la largeur du 4 × 4 les séparait. Alors il avait brûlé les étapes et sorti ce truc incroyable avec une vraie sincérité, dans l'espoir naïf de réparer des choses qui lui tenaient à cœur, auxquelles autrefois il avait cru pour de bon.

– Je ne vous garantis pas un mariage d'amour.

Il avait ajouté :

– C'est rare l'amour, d'ailleurs on en parle trop. Moi je n'en parle jamais. Et vous ?

– Moi non plus.

Le souffle de Laura avait touché sa joue, elle se rapprochait.

– Je vous promets d'essayer, mais pour être franc je suis déjà amoureux.

– C'est beau.

– J'aime une femme et je l'ai perdue.

– Perdue ?

– Perdue, oui.

– Vous voulez dire qu'elle est décédée ?

– Ouais, c'est comme un deuil.

Il rayonnait de nostalgie. Il éprouvait de la fierté à posséder nulle part une femme perdue.

– Elle est morte comment ?

La question l'avait froissé.

– Je n'ai pas dit ça. Elle mène une petite vie gentillette à Paris ou dans les environs. Je crois savoir qu'elle est maquée avec un Espagnol. C'est son problème.

– Et vous l'aimez toujours ?

La petite rusée. Elle croyait peut-être qu'il suffisait d'un tour en bagnole au clair de lune pour gommer un chagrin vieux comme Hérode. Il avait avancé la main sans trouver la sienne, elle n'avait plus de mains, plus de genoux, elle s'était repliée contre la portière et ne souriait plus.

– Elle s'appelle comment ?

– Elle s'appelle Nelly. D'ailleurs on en parle trop, ça m'ennuie. Je cherche à l'oublier. D'habitude je n'y arrive pas, mais avec vous c'est différent. J'aime votre compagnie. J'ai l'impression de vous connaître et j'avais la même impression avec Nelly. J'espère que ça ne vous vexe pas.

– Au contraire.

Il avait recommencé à trouver cette rencontre inespérée, à la convaincre de quelque chose qui devait ressembler à une demande officielle, il déballait les élucubrations du type qui cherche à finir la nuit contre la fille qu'il sent presque d'accord ; elle hésite, elle se fait prier, elle attend le mot qui va la motiver, celui qu'elle n'a jamais entendu.

– Est-ce qu'au moins je vous plais, Laura ?

En guise de réponse elle s'était mise à lui faire un drôle de tableau de la situation, qui n'avait plus rien à voir avec du tavel bien frais. Un enfant disparaît, on ne conte pas fleurette à une inconnue, à moins d'être totalement givré.

– C'est peut-être un accident. Si le père ne s'inquiète pas, qui va le faire pour lui ?

– Sauf qu'il fait ça pour m'emmerder et c'est vraiment pas le moment.

Comme toujours lorsqu'il en avait assez des parlotes et de marivauder pour des prunes, il avait laissé ses mains parler à sa place, elle avait les cheveux sacrément fins, la nuque bien ferme. On sentait à travers l'imper une épaule charnue comme une petite volaille bien nourrie.

– Je ne sais pas si je vous l'ai dit, Nelly était ma meilleure amie.

Il avait pianoté sur son épaule une seconde et regagné sa place au volant. Où avait-il trouvé la force de dire :

– Vous aussi elle vous a laissé tomber ?

– Non. Ce n'était vraiment pas le genre.

C'est alors qu'il avait compris l'entourloupe. Et subitement elle recouvrait la mémoire. Elle parlait d'une voix chaude et pressante, il y avait un monde entre ce qu'elle disait et sa manière de l'envoyer. Elle ne l'avait pas rencontré dans une autre vie, pourquoi chercher si loin. Ils s'étaient vus à la maternité de Lumiol il y a quatorze ans, le jour où il s'était introduit dans la couveuse à la recherche du fils de Nelly, vous vous rappelez ? Elle était stagiaire mais elle avait quand même eu l'honneur de le mettre à la porte. Il était beaucoup plus jeune à cette époque et coiffé différemment. Il semblait très éprouvé par la naissance du petit.

– Vous vous rappelez ?

– Vaguement.

– Et vous vous rappelez quand on a parlé tous les deux ? Elle avait disparu la veille.

Évidemment la soirée s'arrêtait là. D'ailleurs Laura n'était plus dans la bagnole.

Au coucher du soleil, pris de tremblements, il enfila ses chaussures de jogging trempées et partit courir au bord de la Dive. Il espérait faire éclater son cœur, tomber foudroyé par un coup de sang. Il se voyait mourant quand il parvint au bout du sentier, six kilomètres en aval, là où la Dive épousait la Drôme et ménageait un point de vue pour contempler la centrale nucléaire entre deux bouées rouges. Il s'affala sur la berge en crachant. Une douleur partie du cœur l'éblouissait à chaque inspiration, sa poitrine n'était plus qu'un fouillis brûlant. Il y était presque, un dernier effort. Sans reprendre haleine il rebroussa chemin, cassé en deux. Il n'arrivait plus à courir, à peine à marcher. Il s'en rendit compte en entendant une voix moqueuse et des rires. Des ferrailleuses l'escortaient, du nerf papy, toute une petite bande remontant de la baignade avec la marmaille. Il titubait, incapable d'aller plus vite. Il les envoya foutre et sa voix les fit rire. Il s'arrêta, la lumière palpitait, les filles lui riaient au nez. Il n'était pas d'humeur à rigoler. Son fils avait disparu depuis deux jours. Qu'est-ce qu'elles savaient ? Elles n'avaient pas intérêt à bobarder. Une main se posa sur lui comme pour vérifier qu'il n'avait plus d'équilibre et il chancela. Elles étaient une dizaine à japper autour de lui. Elles n'avaient pas peur, non mais tu t'es vu ! Celle qui parlait n'avait pas quinze ans. Elle portait un short en jean et soi-disant s'était fait violer par ses flicards un soir de patrouille. Son fils n'était pas là, non, mais s'il y était ce serait pareil, elle dirait non. S'il avait besoin d'elles et qu'il avait des sous, il n'avait qu'à venir, il trouverait de quoi manger, dormir, s'amuser, et toi tu n'en saurais rien. Ils venaient tous les voir, à Lumiol, et surtout les vieux dans ton genre, et ceux qui disent qu'ils ne viennent pas c'est des menteurs. Ils leur caressaient les cheveux et leur disaient en tremblant des paroles de femme. Ils voulaient toujours les laver, les coiffer, leur couper les ongles, les appâter, tu auras une maison comme n'importe quel enfant, des beaux vêtements, des jouets. Ils avaient toujours à la bouche les mêmes phrases et dans le slip la même envie d'être uniques au monde, et dans leur fumier de cerveau la même volonté de faire adopter leur loi du zéro-ferrailleuse à Lumiol après 2010. Heureusement pour vous, le slip est plus fort que la loi, même quand il est vide. Et maintenant va-t'en, si ton fils est avec nous c'est qu'il est mieux là.

Il remonta sous les quolibets. La nuit s'avançait, de longs reflets rouges marbraient la Dive. Une intuition lui dit alors que Pierre venait de rentrer. Il était à la maison. Il mettait le couvert, il préparait le dîner. Ce petit con l'aimait. Hé, petit con, moi aussi, tu m'as fait peur. Tous les deux on s'aime. Il avançait lourdement et marmonnait en regardant fumer la poussière à la pointe de ses baskets. Tu m'as manqué, fiston, on va s'expliquer. Je t'ai menti, d'accord. Elle ne vit nulle part, on ne l'emmènera pas au Yémen, on aura du mal à la trouver où qu'on lui donne rendez-vous ! Il écoutait sa voix parler à Pierre et Pierre lui répondre qu'à sa place il aurait agi de même, il aurait menti. On ment par amour, par pitié, par jeu, par connerie, pour mentir. La vérité qui soulage vaut mieux que la vérité. Un jour tu seras vieux, guéri des mots, tu pourras les entendre, et pour toi je viderai mon sac jusqu'au dernier. Il se ravisait, je t'en ai bien assez dit.

Il arrivait par le sentier fluvial quand il vit Pierre venir à lui dans un contre-jour. Il redressa les épaules et se frotta les paupières. Des pulsations rouges l'aveuglaient. Écoute voir, fiston, c'est moi qui l'ai tuée. Je vais prendre ces mots dans tes yeux et te les souffler à l'oreille, et c'est à peine si tu les entendras. Il n'en sera plus question. Ne m'interromps surtout pas. Marc ne courait plus, il se traînait dans un flageolement de vieillard tenu debout par quelques os. Il allait cafter maintenant, le dire à Pierre malgré le dégoût des mots dont pas un ne rachète l'autre. Il voulut crier, mais son cri fut un râle, son cœur flanchait, la vérité sombrait en lui, refusait ses aveux, c'est moi qui l'ai tuée, moi seul.

Au tournant du sentier la silhouette de Pierre parut se briser comme un reflet dans l'eau. Marc s'élança pour tomber à genoux à côté d'un corps gisant. Son fils était couvert de sang, la chemise en loques, ses doigts repliés et collés comme des pattes d'oiseau. Entre les paupières éclatées, les longs cils ensanglantés filtraient l'étrange lumière de ses yeux marron.

– Fiston, souffla-t-il, secoué d'un sanglot sans larmes, et ses gouttes de sueur s'écrasaient sur un visage comme frappé à coups de pierre.

L'adolescent regardait son père au-dessus de lui, ce regard un peu triste où Marc, depuis dix ans, voyait la neige tomber indéfiniment sur des ombres qu'elle n'effaçait pas.

– Qui t'a fait ça ?

Les lèvres de Pierre bougèrent et se mirent à saigner.

– C'est toi.

Marc revint à lui couché contre son fils au milieu du sentier. La lune montait dans un parfait ciel d'encre où chaque étoile avait son numéro gravé sur le front. La Dive murmurait à travers les galets, et c'était peu dire qu'il neigeait.

Il eut besoin d'une brouette pour le transporter. À la maison il le prit dans ses bras et le mit au lit sur le convertible du bas où il avait toujours couché. Assis par terre il s'endormit en caressant la main raidie qui pendait hors du lit Appeler un médecin ne l'effleura pas. Ni que Pierre pouvait être mort.

Au matin, il soigna son fils. Il avait perdu beaucoup de sang mais il n'avait pas grand-chose à part une blessure au front. Sur une dizaine de centimètres le cuir chevelu béait jusqu'à l'os. Il aurait une belle cicatrice et les cheveux repousseraient. Il n'y paraîtrait plus. À l'évidence il n'avait rien de cassé. Qui t'a fait ça ? Pierre répondit avec douceur qu'il était un garçon très intelligent. Délire et forte fièvre, en conclut Marc, au moins dix jours de lit. Il le bourra d'aspirine et de citronnade. Il n'avait besoin de personne pour le rétablir. Il croyait aux panacées qui font depuis toujours la longévité des familles : du froid pour le cerveau, du chaud pour les entrailles, et le bon Dieu pour tous. Méthode sans faille à deux exceptions près, quand Pierre avait fait son ulcère à l'estomac et quand il avait eu l'appendicite.

Les premiers jours il fut aux petits soins. Il le nourrit lui-même à la cuillère ; il écrasa du pain dans du lait tiède et sucré. Deux fois par jour il changeait son pansement, soulevait la gaze avec une pince d'électricien passée à la flamme. Il couchait à côté de lui sur les tomettes et câlinait sa main brûlante en murmurant tendrement, là, mon petit. Il lui rafraîchissait le front avec un linge mouillé, tendait l'oreille à sa respiration saccadée. Il s'endormait quand Pierre s'endormait, il pensait à Nelly.

– Alors, fiston, cette intelligence ?

Quand Pierre ne répondit plus à la question, il en déduisit que la fièvre baissait. Quand Pierre s'en étonna, il se dit qu'elle tombait sous les quarante et fut pleinement rassuré. Il aida son fils à regagner sa chambre, à passer un pyjama ; il changea ses draps, le coucha dans un lit bien frais, des bouteilles d'eau à son chevet. « Tu vas mieux, tu es convalescent. À ce soir, fiston. » Un drap tiré jusqu'à la taille, le tour des yeux noir d'épuisement, Pierre grelottait sans répondre. En entendant ronfler le moteur du 4 × 4 il eut comme un sourire.

Le soir il ne revit pas son père. Ni les jours suivants. Il avait l'impression d'être seul dans la maison. Les nuits étaient vides, silencieuses, le 4 × 4 ne se garait pas sur une dernière remise de gaz, la porte se taisait. Dès qu'il essayait de mettre un pied par terre il était pris de vertige, il se rallongeait avec précaution. Dans sa tête on lui parlait à voix basse, on lui disait qu'il était un garçon très intelligent, on le priait de répéter : il répétait. Ce caquetage incessant l'épuisait. Il y mêlait des variantes. Je suis un garçon très intelligent et je fonds comme une motte de beurre, je m'évapore. Il vit un énorme soleil hérissé de milliers d'aiguilles. Il fêta plusieurs fois Noël, seul et sans grande raison, soufflant sur un gâteau vieil argent des bougies qui se rallumaient en musique. Les ombres lovaient autour de lui divers enchantements qu'il pouvait changer à son gré. Il n'avait pas oublié l'ombre qui sommeillait sur le mur quand elle se baignait au bout de la chambre, ni les gouttelettes qu'elle projetait en riant sur lui. Aucune différence entre le bout de la chambre et le bout du monde où il ne se donnerait pas la peine d'aller la chercher. Il se rappelait une baignoire installée près du lit comme un berceau. Ne pas oublier de jeter un œil pour savoir qui dort dedans. Il avait sûrement oublié bien des choses qu'elle avait dites, il en entendait bien d'autres, et la solitude parlait en lui comme un être vivant. Quand je veux, je soulève le drap sous lequel est cachée ma mère et je danse avec elle au milieu des comédiens, nous tournons mieux que les autres, nous passons en coup de vent voir Monsieur le maire, mes profs, Mademoiselle Meyer, mes copains, nous sommes là, mais profitez-en, on nous attend. Je suis vraiment très intelligent. Et debout sur son lit, Pierre tournait sur lui-même en consolant quelqu'un qu'il ne verrait plus jamais.

Un jour, qui n'était peut-être que le fruit d'un rêve parmi d'autres, il s'endormit d'un sommeil paisible. Et sans doute aurait-il pu dormir ainsi des années si le rire aigu d'une femme ne l'avait pas réveillé. Il descendit l'escalier. Son père dormait, affalé sur le convertible, un transistor à la main. Pierre voulut l'éteindre et le fit tomber. La femme continuait de rire comme une idiote. En tâtonnant à travers les complications mécaniques du lit pliant il attrapa l'appareil et aussi un papier qu'il remonta lire dans sa chambre. Une lettre, on pouvait appeler ça comme ça.

Monsieur,

Une drague des douanes opérée par nos services sur l'étang de Berre a remonté le 10 avril dernier les restes carbonisés d'une vedette à moteur.

Parmi les débris se trouvait un sac de mer dont le compartiment étanche contenait le portefeuille de Mlle Nelly Collinet. La carte de groupe sanguin mentionnait le nom de M. Marc Loupiens, la personne à prévenir en cas d'accident. Les services préfectoraux m'indiquent que vous êtes le seul à porter ce nom dans la région. Veuillez vous présenter à mon bureau au plus tard le 31 mai.

Le lendemain, à son réveil, Pierre vit Marc debout près du lit.

– Alors fiston, cette intelligence ?

– Arrête tes conneries.

– Tu es guéri. Tu peux dire que tu m'as fait une belle peur, on s'est bien battus. J'ai cru qu'on n'en sortirait jamais. Va falloir te remplumer.

Il alla ouvrir le velux.

– Où t'étais ?

La réponse vint en deux temps.

– J'étais là, où veux-tu que je sois ?...

Et, comme un chien gratte le sable avec ses pattes, il se hâta de recouvrir les mots :

– Ne sois pas méfiant comme ça. Nous sommes très fatigués toi et moi.

Il changea son pansement, se réjouit de l'aspect de la plaie, s'assit sur le lit.

– Au fait, fiston, j'ai vendu la maison. Nous partirons cet été. Il y aura pas mal de questions à régler. Et bien sûr pas un mot d'ici là.

Pierre ne réagit pas.

– On va en Espagne, tu es content ? Le Yémen, c'était un peu compliqué. En Espagne on sera bien. C'est là qu'on va s'installer après un séjour de quelques mois à Paris. À propos, il faudra que je te parle de ta mère.

– Moi aussi.

XVI

Simple bagarre, estima la majorité des Lumiolais en regardant la télévision. On distinguait le visage de Pierre à travers un damier d'anonymat. À côté de lui, au volant du 4 × 4, Marc Loupiens, l'air sombre, expliquait qu'il n'entendait pas s'exprimer publiquement sur ce drame avant d'avoir des certitudes et l'accord de son fils, toujours en état de choc. Bien fait pour lui, dirent les comédiens, il nous a plantés. Représailles, glapirent les éternels mécontents, les frustrés, les cerveaux errants à la recherche d'un ennemi juré sur lequel déverser leur misère. Et, semé par eux, un grand vent d'excitation balaya la colline étonnée. Le 1er Mai fut un gâchis. Le muguet creva sur pied dans les sous-bois. Les floralies furent ajournées ; ajournée la parade annuelle des écolières ailées de tulle qui montaient se trémousser aux créneaux des remparts illuminés. L'armurier doubla son chiffre d'affaires en un jour et, fait sociologique obscur, céda les quatre rapières celtiques dont s'ornait sa vitrine. On écoula du grillage, du poivre pilé, des matraques et des pantalons à boutonnière pour les petites filles priées de ne plus sortir que par deux. Chaque matin les gérants des discothèques et les vigiles envahissaient le siège central de la police où l'on était d'humeur à bastonner. *Le Journal* en profita pour consacrer son cahier détachable aux abus sexuels à travers les âges, avec des interviews d'urologues et d'historiens discutant des mille et une manières d'attoucher son prochain contre son gré.

Pierre se remettait lentement. En dépit des rumeurs, il ne se plaignait d'aucun outrage. Il était bizarre, comme enroué. Il ne se rappelait pas avoir été agressé. Il revoyait un soleil rouge hérissé d'aiguilles, il entendait le bruit d'une énorme éclaboussure. Après chaque phrase il serrait les lèvres avec application, et la nuit se faisait autour de ses grands yeux marron.

Chez les flics il ne reconnut aucun des individus qu'on lui montra. Il avait bon pied, bon œil, des souvenirs, jusqu'à cet instant rouge où le soleil l'engloutissait. La police l'interrogea, le psy, le kiné, l'infirmière indignée devant cette plaie cicatrisée à la diable, Georges le soi-disant confident, la gamine qu'il avait emmenée faire l'amour pendant l'orage et qu'il aperçut par le velux, une après-midi, rôdant sur la route en jean blanc, un brin de muguet dans les cheveux ; elle cueillit la fleur à sa vue, la toucha des lèvres et la posa sur le muret. Qui t'a fait ça ?

À tous il répondait : Je ne sais pas. À Marc il répondit en baissant la voix : Motus, et regardant son père avec douceur il semblait préserver un lourd secret. Comme s'il ne retirait pas ce qu'il avait dit la première fois, à moitié conscient, sur le sentier fluvial, de cette même voix douce et voilée : « C'est toi. »

Marc était mortifié. Dans le rôle ambigu du père dévoué, il trouvait enfin matière à s'exalter. Il s'attendrissait sur lui-même et se délectait d'un sentiment d'injustice. Quinze ans de générosité : quinze ans d'ingratitude ! Il en voulait à son fils pour une bonne raison. Après tout ce qu'il avait fait pour lui. Pas étonnant qu'il ait besoin d'un psy.

Au bout d'un mois le soufflé retomba. Un matin Pierre prit le chemin du lycée. Il avait beaucoup maigri. Sa veste flottait sur ses épaules et s'il pressait le pas son corps flottait aussi. Il traversa la place Galilée sans lever les yeux ni tourner la tête ; il déposa son certificat médical au bureau des absences et gagna sa classe. En longeant la cour du collège il chercha s'il voyait une petite Ismène en jean blanc. Comme ça, pour avoir son prénom. Il n'était plus l'animal vigoureux qui pouvait se flatter d'avoir des ennemis, mais une pauvre chose livide, une épave aux yeux troubles.

– Salut, roi, fit-il en tendant la main au grand type lunaire qui se dandinait à son approche.

Pierre serra une main moite, il vit un sourire bêta.

On entoura ce faiblard, on lui tapa dans le dos. On l'abreuva de reproches et d'ironie. On ne lui pardonnait pas d'avoir planté la pièce et de raconter des salades. À cause de lui toute la classe était dans le collimateur de ces deux salopes, l'assistante sociale et la dirlo. « Elles s'imaginent qu'on est au courant pour ta tronche au carré, alors démerde-toi, balance les gens des rivières, les branleurs de la Dive, ça mange pas de pain. »

Après les cours, il se rendit à l'hôpital pour sa dernière séance avec le psy. Son père vint l'attendre à la sortie.

Marc ne savait plus quels gants prendre avec lui. Son visage mutilé le mettait au désespoir.

– Salut, fiston.

Pierre ne fut pas assis dans l'auto que Marc commença à radoter, à lui demander comment il allait, comment s'était passée la journée, s'il avait du nouveau, s'il soupçonnait l'un des élèves.

– Personne. Arrête de faire le flic.

Marc rit jaune.

– Et tu crois toujours que c'est moi ?

– Non, fit Pierre, et l'on aurait dit qu'une bulle crevait sur ses lèvres.

– Alors pourquoi tu l'as dit ?

Il répondit de bonne grâce à cette question qu'il entendait dix fois par jour. Marc lui faisait pitié. Il avait le sentiment s'il redisait : « Oui, c'est toi », que son père irait aussitôt se constituer prisonnier.

– Je t'ai vu penché sur moi, tout rouge, les cheveux en l'air, tu me soufflais dessus, ça m'a fait une drôle d'impression. Désolé.

– Alors qui ?

– ...

Ils roulèrent quelques minutes en silence ; à travers la vitre ils voyaient l'air brumeux et les fleurs épanouies des talus ; dans l'habitacle une fraîcheur arrivant de nulle part imprégnait les vêtements, enrobait la gorge et descendait au fond des poumons. Après le passage souterrain du TGV, comme illuminé par une intuition, Marc rangea le 4 × 4 au bord de l'ancienne voie ferrée. Il voulait reconstituer la scène, tout simplement. « C'est un procédé infaillible. Je suis l'agresseur et tu marches à ma rencontre, allons-y. » La chaleur se contorsionnait sur le ballast où poussaient les lupins. Ils s'éloignèrent de plusieurs mètres, et Marc joua le rôle du malfaiteur se présentant de front pour lui massacrer la tête avec un objet qui pouvait aller de la masse d'armes à la barre à mine. Pierre avançait distraitement, les yeux baissés, Marc à grandes enjambées, le poing tendu à la hauteur du nez.

Ils s'arrêtèrent ensemble à quelques centimètres d'un contact violent. Ouvrant son poing le père tapota la joue du gamin. Il était blême.

– Un pas de plus et je t'éclatais le pif.

Il haletait, comme le jour où il avait ramassé Pierre sur le sentier.

– Tu m'as regardé. Moi, ton agresseur, tu m'as fixé des yeux. Et l'autre aussi tu l'as regardé, forcément. Tu sais qui c'est, fiston. Fais un effort.

Pierre mit les mains derrière son dos.

– Je dormais debout. Quand j'ai rouvert les yeux je t'ai vu.

Marc ne put retenir un soupir d'énervement.

– Tu n'as croisé personne en revenant à la maison ?

– Si, toi.

Ils remontèrent en voiture et Pierre se laissa aller contre l'appuie-tête, jambes allongées, poings entre les cuisses. Avec son esprit flicard Marc avait encore des choses à dire, à subodorer. On finirait bien par les avoir, les fumiers.

– Pour moi ils étaient plusieurs, tu les connaissais. Un de ces quatre ça va te revenir, tu auras toute la scène à l'esprit, tu les verras. Je n'aurai plus qu'à faire mon boulot. C'est comme ça les trous de mémoire, ça passe. Et chez le psy ?

– Il m'a fait tendre les mains.

– Passionnant, dis donc, et alors ?

– Elles ne tremblent plus.

– Montre-moi ça. Rien d'autre ?

– Il voudrait nous voir ensemble. Il pense que nous sommes deux névrosés.

XVII

« Si j'avais la main pleine de vérités, je ne l'ouvrirais pas. » Appréciez et expliquez ces lignes de Fontenelle.

Pas mal, admit Pierre en attrapant dans son bol un Mitsubishi Pencil UH153 33 bille encre-gel dont il appréciait la glisse. Il le coinça entre sa lèvre supérieure et son nez. Pas mal mais déjà vu. Le philosophe disait mot pour mot ce qu'il savait depuis des années. Du Pierre tout craché. « Vous avez le week-end, avait ricané la dirlo. Celui qui ne rendra pas son devoir lundi matin sera renvoyé ». Parole de dirlo. Une punition collective à cause de lui.

Six heures. Il ne passerait pas le week-end là-dessus. Dix minutes par feuillet, soit une heure au plus. Il prépara son matériel, devant lui son bloc de brouillon, son réveil, son mobile ; à gauche le manuel, à droite les cahiers de cours et, dans le cadre argenté, la photo qu'il retourna face au mur. Il régla la hauteur du tabouret, dévissa le stylo pour s'assurer du niveau d'encre et, l'ayant rangé parallèlement au bord supérieur du bloc, il tourna la tête en direction du velux entrebâillé. Son regard tomba sur le plateau posé par terre. Un paquet de céréales, une carafe d'eau, un sandwich aux rillettes, un ananas et la plaquette d'antalgiques, une gélule le matin, une le soir, et plus si affinités. Après sa disserte il prendrait double ration d'antalgiques et de somnifères, et dormirait jusqu'à lundi. Ensuite il irait porter son pensum à Laura, mais oui, pas à la dirlo, mais non. Laura aurait la primeur et ses yeux lanceraient des reflets que personne n'aurait vus avant lui. Marc ? Un vantard. D'ailleurs il n'en parlait plus. Il évitait les sujets épineux. Et même il évitait d'être là. Il s'était tiré en Espagne ou n'importe où soi-disant pour visiter la future maison, prendre contact avec l'habitant. « Je t'aurais bien emmené, mais tu es consigné. » Exact, father, casse-toi. Il n'aurait pas supporté de l'avoir dans les pattes un week-end où il avait besoin de beaucoup travailler et beaucoup dormir. Les mots volettent, ils effleurent la face interne des paupières, et c'est là qu'ils se font capturer comme dans la fable, et surtout comme des imbéciles. On leur coupe les ailes, on leur passe un fil d'encre autour du cou et on les fait trottiner sur le papier blanc. Le devoir est fini, Fontenelle peut aller se rhabiller.

On étouffait sous les panneaux du double toit. Pierre se leva, changea de tee-shirt, but à la carafe et réduisit l'ouverture du velux. Quel ramdam, ces gros-becs. Ils disparaissent l'hiver, puis un jour ils tombent du ciel par milliers, on n'entend plus qu'eux. Sinistre, le jardin. De l'herbe jaunie, des fleurs assoiffées. Les mots volettent et comme les moustiques ils ont une espèce de sarbacane aspirante. Ils vous pompent l'énergie du cerveau.

Revenu s'asseoir, il remit d'équerre la pile de cahiers, le manuel de citations, le dico, la grammaire, alluma sa lampe et décapuchonna le Mitsubishi. Comme il recopiait la phrase de Fontenelle, il vit l'ombre du stylo se diriger vers lui et se répandre sur son tee-shirt au lieu de fuir à droite. On avait encore une fois touché à ses affaires. On n'avait pas remis les choses exactement à leur place. Il changea sa lampe de côté ; l'ombre fit de même.

Avant de commencer la disserte, il assouplit sa main par du n'importe quoi. Salut, roi, tu serais pas anglais ? Yes. Allemand ? Ja. Russe ? Da. Polak ? Yep. Italien ? Sì. Belge ? Uk. Breton ? Vouik. Suisse ? Ouak. N'importe quoi s'écrivait tout seul, mais Fontenelle ?... Il entendit les conseils de Long-pif : définir les mots importants du sujet, raisonner sur des faits, relier à l'Histoire, rappeler toujours l'idée directrice à propos d'une idée nouvelle et de la sorte assurer un mouvement continu, briller par un esprit d'effacement au service de la seule démonstration, attendre la conclusion pour dégrafer sa chemise et montrer ses pectoraux, et encore pas trop, s'amuser comme un petit fou. Le meilleur à ce jeu fastidieux c'était lui, et dans quelques minutes, Fontenelle ou pas, la blancheur des feuilles aurait disparu sous la végétation d'une pensée bien taillée, pas comme ce malheureux jardin. Il relisait la phrase à commenter. Elle était un peu tarte, et si j'avais le choix je m'abstiendrais d'y réfléchir. Elle ne renfermait pas deux mots importants mais un seul : main. La vérité sans la main qui la contient n'est même pas une chiure de moustique aux ailes rognées. Main, main, main, les siennes ne tremblaient pas. Le reste embaumait l'évidence : ouvrir ou ne pas ouvrir, la vérité courageusement planquée dans la sueur, le mensonge habillé en vertu sous le contrôle du pape, des savants, des infirmières. Oppenheimer, Matteo Falcone ou Judas, ils s'en étaient tous mordu les doigts jusqu'à l'os. De nos jours, l'os, il n'en restait pas des masses à ronger. Sujet bateau, sujet sur mesure. Au passage une leçon de morale administrée par la dirlo, cette petite reine aux mains fermées. Est-ce qu'elle s'était déjà mordu les doigts? Est-ce qu'elle s'inquiétait de savoir si la terre tournait? C'est si beau, dans les ténèbres, ce point mouvant, ce grain de poussière où logent les océans, les montagnes, et nous autres les penseurs, et quelque part entre deux banquises, peut-être, la clé d'un commencement. Primo : le progrès nous vient des étoiles, comme Dieu. Galilée peut prouver qu'elle tourne et Copernic établir qu'elle n'est le centre de rien du tout. Mais les prophètes renâclent et Fontenelle ne voit pas pourquoi les savants paieraient de leur vie leurs trouvailles. Il faut concilier la science et la religion, rabibocher sorcières et curés. Deuzio : sous cette impulsion, le XVIIIe siècle animé par Diderot, Marmontel, Helvétius, Vicq d'Azyr, Voltaire, Montesquieu, Rousseau, n'a plus qu'à mettre en ligne l'Encyclopédie, la somme du savoir universel, livre qui depuis ne s'est jamais fermé, pour le meilleur et pour le pire, il fallait oser. Troisio : avec les virus informatiques, les bogues et les armes de destruction massive, avec le clonage humain, le moment n'est-il pas venu d'arrêter le progrès ? Voilà pour la thèse. En mémoire, la thèse, en réserve. Et Pierre, les yeux fermés, voyait naître et s'étoffer des paragraphes si bien formulés qu'il tentait de les apprendre par cœur, pour gagner du temps, pour que la glisse du Mitsubishi n'ait à souffrir d'aucune hésitation. La dissertation filait dans sa tête, un plan naturel fonctionnant entre des lisières imposées par le sujet lui-même au contact d'un esprit vigoureux. Exceptionnellement, au train où les choses avançaient, il allait commencer par rédiger la conclusion, assurer le point final et, de ce point vieux comme le monde et solide comme le roc, remonter pas à pas vers la grande main de Fontenelle où il s'accorderait un petit somme avant de picorer ce qu'il venait d'y semer. Il battit des paupières. Il transpirait, la cervelle en ébullition. Il avait un léger mal de cœur. Depuis quand n'avait-il rien mangé ? Du bloc de brouillon il décolla ses avant-bras moites. Pour un motif qu'il ignorait, la feuille était blanche. Il prit son vieux Pilot G1 à voie fine et burina dans le bois un graffiti rococo, allégorie d'une migraine naissante.

À neuf heures il n'avait toujours rien écrit lorsque son mobile vibra sur la table.

- Qu'est-ce que tu fous ?

– J'ai presque fini.

– On a une soirée, magne-toi le cul.

Il coupa son mobile. Il avait complètement oublié son gentleman's agreement avec les comédiens qui se jugeaient offensés : leur envoyer du texte, du remplissage, assez pour noircir quatre feuillets. Il les imagina piaffant chacun devant son écran, musique à fond, guettant la mise en ligne, prêts à couper-coller n'importe quelle daube. Ils devaient s'impatienter, l'haleine fleurie, le poil raidi au gel coiffant, le préservatif en poche.

Il essuya son stylo dans le ballant du tee-shirt, posa la pointe du Mitsubishi sur la feuille et vit s'élargir un rond d'encre bleue, la première étoile, elle grossissait, se rapprochait. Il en fit un autre, il dessina la lune, un trait vertical, un avion, une main. Il orienta différemment l'abat-jour pour ne plus voir l'ombre du stylo monter à la rencontre du point d'encre et, comme à travers un miroir, gober le moindre signe qu'il marquait.

Elle gobe.
Elle trouve ça bon ces grosses mouches pleines de vers
Et de vérités.

Elle les rapporte à ses enfants
Miam miam
On s'en met plein la lampe
On est en famille
Elle est pas belle la vie ?

Il arracha la feuille et la jeta derrière lui. Ses mains commençaient à trembler. À travers le velux les rayons du couchant lui chauffaient le haut du crâne. Un brouillard de voix l'entourait. Il avait mal, et pas qu'à la tête. Il souffrait d'un peu partout. Trop tôt pour les antalgiques. S'il en prenait maintenant, c'était fichu, le coaltar. Douleur ou pas il devait envoyer du texte aux rançonneurs pommadés. Ensuite il dînerait. Ensuite il dormirait deux jours de rang. Ensuite il irait porter son devoir à Laura, chez elle, une surprise, il verrait ses yeux comme des bonbons. Et pourquoi pas ce soir ? Une jolie présentation, de la poudre aux yeux, du blanc entre les paragraphes, une conclusion aux petits oignons, le tour était joué. C'était son dada, la conclusion. Long-pif en avait la goutte au nez.

Renonçant aux gélules, il s'absorba dans la contemplation du mot *main*, vit une main puis une autre empoigner le manche d'une batte de base-ball gainée de rouge, et ce rouge envahir son champ visuel, et le monde entier voler en éclats incandescents projetés aux confins des ténèbres où quelqu'un parlait. Est-ce que Marc allait lui téléphoner d'Espagne ? Est-ce que Marc se rappelait qu'il existait ? Est-ce que Marc avait peur la nuit ? Est-ce qu'il avait la moindre affection pour lui ? Est-ce qu'il reviendrait ? Son cœur battait. Il partit se rafraîchir le visage et la nuque au robinet. Il en profita pour se rincer les pieds dans la baignoire et, s'emparant des ciseaux, faillit se couper l'ongle d'un orteil douloureux. Cretinus magnus, jamais le vendredi. Fontenelle a bien dit : Si j'avais un ongle à couper le vendredi soir avant d'aller chez Laura, je commencerais par me pendre. On s'interdit également d'imaginer des ciseaux, des battes de base-ball, sa mère à Paris, son père en Espagne, à moins qu'ils ne soient ensemble au Tibet. On achève d'abord le travail commencé. Assis les pieds dans l'eau sur le rebord émaillé, il prenait conscience qu'il n'avait rien commencé du tout, pas écrit la première lettre d'un seul mot. Il y eut dans la pièce un bruit régulier, vivant, membraneux. Redoutant une chauve-souris, il leva les yeux vers les solives équarries à la hache en des temps immémoriaux. Le bruit cessa, reprit ailleurs, et Pierre vit un gros papillon de nuit taper là-bas contre sa lampe. Autour il faisait noir. Fini, les gros-becs, la nuit s'était mise à l'œuvre.

Il passa un tee-shirt propre et prit l'autre pour estourbir le papillon posé sur l'ordinateur, une bête énorme aux ailes couleur de poussière. Il l'eut du premier coup, avec une espèce de rage. D'un doigt tremblant, il pianota un e-mail aux rançonneurs : Ça y est, les gars, vous pouvez lacer vos Timberland, je suis O.K. Pas de réponse. Il repianota : Vous faites la gueule ? Pas de réponse. Déconcerté, Pierre alla fermer le velux et se rassit devant le bloc de brouillon. Il ne se lèverait plus avant d'avoir fini. La douleur tendait un fil entre son épaule et sa nuque et, sitôt qu'il attrapait le stylo, descendait le long du bras. À quelques millimètres au-dessus du papier, la pointe du Mitsubishi traça peut-être une syllabe dans l'espace invisible et s'immobilisa. Je suis un garçon très intelligent, se dit Pierre, mais je ne vais tout de même pas écrire ça. Il l'écrivit et le récrivit en plus gros. À force de l'écrire il eut les doigts épais comme des taupes. Une dizaine de feuilles malmenées jonchaient le sol derrière lui. Pourquoi ces conards n'appelaient-ils plus ? Qu'est-ce que j'ai encore fait ? Il reprit la position du bon élève en train de gratter noir sur blanc. Son cerveau lui faisait l'effet d'un terrier labyrinthique où il s'enfonçait à la recherche des bouffées visionnaires qu'il avait eues tout à l'heure. La vérité, sujet bateau, sujet marteau. Le marteau cognait, le bateau gisait en pièces détachées, une main maligne les mélangeait, une main pleine de sueur et de commérages pesait sur la sienne et le Mitsubishi crevait la page en écrivant *mes couilles le temps se brouille.* Hors de lui, il arracha la feuille et s'en fit un cornet pour aller ramasser le papillon mort sous l'ordinateur où son pied l'avait expédié. On ne sait pas ce qui peut se tramer dans le tréfonds d'un animal aussi gris.

À minuit, Pierre brisa net son stylo comme on le fait d'un os de poulet censé vous porter chance et régler dans l'immédiat vos problèmes, amour, argent, santé, bonne manière de s'en prendre à Fontenelle et de charmer les filles. Un beau liquide bleu-noir coula sur ses doigts, produisant une étrange odeur qu'il s'empressa d'inhaler dans l'espoir indéfinissable d'être moins seul. Il se frotta les mains et consulta sa messagerie. Que dalle. Une sensation désagréable l'assaillait. Elle n'avait de nom dans aucun dictionnaire. Elle n'existait qu'en lui. Une sorte de fatigue, un réel désir de voir pointer la lumière d'un autre jour.

Tout bâillant il se coucha, menton sur le bloc, et retourna prudemment la photo vers lui. Cadeau de Laura. Toujours des images. Le portrait d'une fille à moto, tête levée, cheveux dans les yeux, musette en bandoulière où dépassait la bobine ahurie d'un marmot qui n'avait pas deux ans. Elle riait les bras ouverts pour étreindre tous les points cardinaux à la fois. Elle avait les mains nues. Quelles vérités là-dedans ? Quel intérêt, les photos, les albums ? On en voit souvent dans les gravats détrempés des incendies. Il repoussa le cadre argenté vers le mur, à quelques centimètres du polaroïd où se marrait la fille aux yeux rouges. Il regardait l'une et l'autre, et sa migraine faisait des petits, sa vue se brouillait. La fille à moto portait un chapeau noir, la fille aux yeux rouges une musette, la tête du gosse émergeait du chapeau, si j'avais les yeux pleins de vérités je les crèverais à coups de stylo, je ne me laisserais pas entamer par tout ça. Il prit deux gélules antalgiques, deux somnifères, et s'endormit la joue dans l'encre qui souillait la table. Il se réveilla l'après-midi du lendemain, au lit, l'oreiller sur la face. Il eut d'abord une fausse joie. Dans un rêve il venait d'imprimer à quatre exemplaires un devoir idéal : pour Laura, pour lui, pour Long-pif, pour la dirlo. Ni ses doigts tachés d'encre ni ce foutoir de tee-shirts et de feuilles éparpillées ne l'intriguèrent. Il aéra, se changea, nettoya son bureau, mit cahiers et livres d'équerre aux extrémités, bloc de brouillon bien centré, mitsoubitonio neuf. Il s'assit. Toujours aucun appel. Rien à foutre. Il était d'humeur à soulever les montagnes et la douleur avait disparu. On n'est jamais que samedi. Elles ne tremblent plus. Elles ne demandent qu'à s'ouvrir. Sésame est un pote à moi. Inquiétant que Marc n'appelle pas.

Les heures passèrent et le niveau d'encre baissa dans le réservoir du Mitsubishi. Pierre ourlait ligne après ligne une interminable vaguelette uniforme où parfois surnageait un vrai mot. Il se portait studieusement à la rencontre de l'idée qui, d'une seconde à l'autre, allait changer la vaguelette en écriture et devoir accompli.

Plus tard, il regardait le jour décliner par le velux. Il pouvait suivre par la douleur le trajet du nerf qui reliait la cervelle à la main. Il avait les veines gonflées. Sous la peau du poignet c'était bleu comme de l'encre et ça cognait doucement, des mots, des citations, des transitions, le baratin bien fichu d'une pensée qui met les profs en joie. C'était là qu'il fallait inciser pour saigner cette rage qui l'étouffait. *Excellent travail, soigné, intelligent, bien écrit. Tu as parfaitement compris la thématique proposée ; ce n'est pas encore cette fois qu'on te tranchera les mains.* Un relent douceâtre montait du jardin, une mélancolie qui ligotait ses doigts chaque fois qu'il prenait son élan pour filer d'un seul trait la dissertation. Les rhododendrons piquaient du nez, les capucines gisaient, des pétales morts partout. Le long du muret, les œillets blancs avaient une petite tête jaune ratatinée. Il rit tout seul au souvenir de Marc botté jusqu'en haut des cuisses et sanglé dans un appareil à débroussailler qui le faisait ressembler à un pionnier de l'aviation. Son père ne touchait plus au jardin, il n'avait plus un mot pour les fleurs qui vivaient et dépérissaient au hasard en exhalant cette haleine fétide. Comment s'intéresser à Fontenelle avec ces miasmes dans les poumons ?

Il restait quelques minutes de clarté dans le ciel quand il descendit avec l'intention de soigner les plantes. Il n'eut pas fait trois pas dehors qu'il se mit à pleuvoir. C'étaient les plus grosses gouttes qu'il eût jamais vues, larges comme des taches d'encre, larges comme du sang. Il se dépêcha de rentrer, décrocha le fusil de Marc, prit dans le tiroir du buffet les cartouches et remonta s'installer devant le velux ouvert en grand. L'ondée passait. Il faisait chaud de nouveau. Le canon du fusil calé sur l'encadrement du velux, Pierre entreprit de décapiter les œillets malades. Il brûla de la sorte un cent de cartouches. Il ne voyait plus rien. L'index tuméfié, il s'arrêta et verrouilla le velux. Les douilles chaudes s'accumulaient autour de lui. Bon boulot. Vivement demain matin. Il ratisserait les morts, arroserait les survivants, et la disserte ne serait plus qu'une formalité. À son retour, Marc ne reconnaîtrait plus le jardin. S'il était de bon poil, il lui lirait son devoir. Dissertation, réconciliation. Mais son père était méfiant. Il ramenait tout à lui. Il risquait d'imaginer un complot. Il se croirait persécuté par un écrivain mort depuis trois siècles, relayé par une directrice de lycée et par son propre fils. Il ne lui montrerait rien du tout. Marc n'aurait qu'à soupçonner, fouiller, chercher sous la peinture des cloisons, dévisser les ampoules.

Il rebrancha son mobile, rehaussa d'un tour son tabouret en se demandant ce qu'il en était du tiroir à cartouches. Fermé, pas fermé. Ce détail le chiffonnait. S'il y pensait, d'ailleurs, c'est bien qu'il avait son importance. Il descendit. Tiroir ouvert, il n'était pas fou, il le ferma. Une image en moins. L'air était lourd dans la cuisine, oppressant. Le lave-vaisselle n'avait pas dû tourner depuis plusieurs jours. Que le responsable soit Marc ou lui ne changeait rien. Il pressa la bouton MARCHE et se réjouit d'entendre l'eau courir, affluer dans cette cage d'inox, il se représenta les souillures fouettées par le tourbillon du rotor, l'odeur emportée, les rats guettant leur pitance à la sortie du tuyau.

La salle avait déjà meilleure allure et pourtant des affaires traînaient, le convertible bâillait, des miettes parsemaient la table et les mouches se croyaient en pays conquis. Plus encore que la disserte en souffrance, le spectacle du laisser-aller l'atteignit au moral entre les deux yeux. La vérité, oui, mais dans une maison qui souhaitait la respirer. Il tira les rideaux et s'attaqua au ménage. Il commença par la moitié sud de la pièce où Marc avait sa chambre et son bureau. Il alla secouer les draps dehors, replia le convertible et balaya dans les coins, il pendit les pantalons sur les cintres, il ramassa les chaussettes. Le ronflement du lave-vaisselle lui chantait à l'oreille. Et, tout le temps que dura ce ménage en grand, Pierre se sentit bien. Fontenelle et lui se parlaient à voix haute. Ils se découvraient des points communs, la nuit fait peur, et la vérité comme la nuit. La vérité vient en dormant, une lueur fugitive entre la paupière et l'œil. Et Fontenelle acquiesçait : mais oui, Pierre, c'est ça, tu es un garçon très intelligent, tu as tout compris, tu sais qu'il ne faut pas sacrifier le devoir domestique au devoir scolaire, tu es pratique, méticuleux, tu ranges et tu réfléchis. Tout à l'heure ce sera du gâteau, la disserte. On va s'y coller tous les deux, lui faire la peau. Tu vas retrouver dans ta tête une pensée neuve, éclatante, aussi nette qu'une assiette après rinçage. Il passa dans la moitié nord, la cuisine. Il n'hésita qu'une seconde et lava par terre. Les mouches ont horreur des émanations javellisées. Il fit briller le téléphone, muet depuis deux jours. Elle est pas belle la vie ? Elle est comme elle est, c'est déjà ça. Désormais libre pour Fontenelle et ses acolytes, il remonta dans sa chambre. Un sacré bordel ! Elle ne souffrait pas la comparaison avec la pièce du bas. Il était une heure et demie du matin. Dehors, c'était lunaire à gogo. La Dive aux reflets d'argent se baladait jusqu'aux étoiles. Vide, sa messagerie. Il s'attendait à un déluge d'insultes et de supplications, à des menaces de mort. Les rançonneurs le laissaient tomber. On aurait dit qu'ils faisaient une croix sur leur pensum et lui donnaient congé. Il fit des numéros qui s'enlisaient dans les boîtes vocales et des e-mails sans réponse. Déjà qu'il n'avait pas beaucoup d'amis. Ils étaient dehors, ils s'éclataient sans lui, il n'entendrait plus parler d'eux jusqu'à demain soir. Ils attendraient la dernière seconde pour pleurnicher.

Fourbu, crasseux comme un bon ouvrier parvenu au bout de ses forces, il se fit couler un bain. L'émail miroitait comme jamais depuis le départ de sa mère. Et ce mot n'eut pas tinté qu'il la vit dans l'eau transparente, avec ses cheveux vivants et sa peau, son livre entre les mains. Il se trouva très hardi d'oser rire et de se baigner après elle. Il s'interdit de regarder vers le mur Si jamais son ombre y était, si jamais elle n'y était pas. Le mur était vide. Il eut aux lèvres une petite chanson qui lui glaça les sangs. Berceuse oubliée, saloperie. Il reposa sa tête un moment contre l'émail. Il se rappelait qu'elle faisait pareil et qu'il se demandait à quoi elle pensait. Tu sais ce que je ferais, Pierrot, si... Un jour il avait vu des larmes. Et elle avait dit, en riant : « Mais c'est de l'eau, Pierrot, ne t'inquiète pas. » Il se redressa. Il voyait ses pieds au loin. Un dimanche, on peut sans danger couper les ongles tordus. Il grelottait. On peut aussi les laisser pousser. Il avait froid, mais un brasier dans la tête, une fournaise blanche où il n'y avait ni feu ni fumée, juste cette impression que tous les mots brûlaient sans un cri. Il se laissa lentement couler la tête sous l'eau. Les bras collés le long du corps, il chassa l'air de ses poumons. Fontenelle ne lui parlait plus. La vérité n'avait jamais eu le moindre intérêt. Conclusion : les mains fermées ne méritent même pas qu'on les tranche, elles sont vides. Il attendait sans trop savoir quoi. Son cœur rugissait au fond d'un volcan.

Un éclat de rire le sortit de l'eau. Le temps d'arriver à sa table il avait oublié pourquoi. Il suffoqua un long moment, penché sur les feuilles qu'il aspergeait. Il avait entendu quelqu'un lui parler à l'oreille. Il était allongé dans son lit et quelqu'un disait : « Écoute-moi, Pierrot, c'est important. » Quelqu'un disait : « Tu sais ce que je ferais si ?... » Si quoi ! Et Fontenelle dans tout ça ? Emportant stylo bille et bloc de brouillon, il retourna fermer les yeux dans son bain. Les instants passèrent et l'idée revint, plus belle encore. Il était allongé dans son lit, quelqu'un lisait à côté de lui. Il entendait glisser le bruit du vent qui soulevait les pages. « Tu sais quoi, Pierrot ? » Il était allongé dans son lit, sa mère venait l'embrasser, elle avait les cheveux mouillés. C'était la veille de son départ, mais comment l'aurait-il su qu'elle disparaîtrait sans lui. Il faisait semblant de dormir, elle disait : « Demain, nous serons loin d'ici, nous allons en Espagne, à la mer, mais chut, c'est un secret. » Ils avaient ri comme deux voleurs. Et, souriant, Pierre tâtonna vers son bloc sur le tabouret, il voulait juste écrire *Espagne*, et les mots passaient devant lui tels des animaux légers qu'un rien peut rendre invisibles, une queue leu leu sans fin dans un désert. Ils étaient si nombreux, si beaux, si confiants, un livre entier se dépouillait pour lui d'un secret perdu. Ses doigts se détendirent, bloc et stylo glissèrent dans l'eau. Le corps couvert de bleus et d'éraflures, Pierre dormait en Espagne.

S'il ne rendait pas sa disserte, il serait renvoyé. S'il était renvoyé, il ne verrait plus ni Laura, ni la petite Ismène, ni ses copains les rançonneurs. Il partirait d'ici, il descendrait l'escalier, tournerait le dos à toutes les images qu'il aimait, il ne se baignerait plus dans la baignoire de sa mère, il ne graverait plus son nom sous la planche de sa table où Marc n'avait jamais eu l'idée d'aller voir. Il serait obligé de suivre Marc là-bas où sa mère était bien assez grande pour l'emmener à moto sans lui, sans trahir leur secret. S'il rendait une belle dissertation, Laura dirait : Vous ne pouvez pas nous l'enlever, monsieur Loupiens, c'est une fierté pour un établissement comme le nôtre, un élève aussi intelligent. S'il ne la rendait pas, on le mettrait au milieu de la cour et tout le monde le montrerait du doigt, Laura comme les autres. Son père arriverait avec une petite valise et deux billets de car. Il lui dirait : À cause de toi j'ai tout vendu. À cause de toi, nous devrons manger des ananas jusqu'à la fin de nos jours. Ta mère détestait les ananas, elle disait qu'ils te ressemblaient.

Pierre tressaillit dans l'eau froide, ses dents s'entrechoquaient. Le jour se levait. Son genou toucha le bloc de brouillon qui surnageait, boursouflé comme du pain perdu. Beau cadeau pour la fête des Mères. Enfermé dans un sac-poubelle avec la mention : ne pas lire au lit. Au fond de la baignoire, le Mitsubishi saignait.

Messagerie vide, e-mail néant. Dissertation zéro. Pierre nul. C'était nickel chez lui, ça respirait la désolation. Il regarda par le velux. L'horizon déroulait sur les collines un fil d'encre rose. Aucune différence entre le jardin avant la fusillade et après. Il s'habilla d'un tee-shirt ramassé par terre et du premier pantalon qu'il trouva. Il alla se brosser les dents et vit le fusil oublié sur le couvercle des cabinets. Il était ouvert. Il restait une cartouche engagée dans le canon. De quoi flinguer une fleur à bout portant. Ou la main de Fontenelle. Il était léger, flottant, bourdonnant. Le miroir lui renvoya la sale gueule d'un convalescent nullement pressé d'aller mieux. Il avait les cheveux beaucoup trop longs par-devant. Il les coupa de manière à mettre la cicatrice en évidence. Il se rasa. Il était beau sans cheveux, sans poils, une cicatrice de la taille d'une peau de banane en travers du front. Qué tal, l'Espagnol ?

Il passa d'un rasoir britannique à un stylo japonais. Il prit n'importe quel cahier où il y avait une bonne épaisseur de pages blanches à tourner. Il écrivit : Fontenelle me fait chier et il n'est pas le seul. Il ratura ces importantes déclarations. Il ne restait plus qu'une dizaine d'heures avant d'être un cerveau suicidé. Les douilles froides roulaient sous ses pieds. L'homme aux questions gris fer dans les yeux allait bientôt rentrer. Il ne tenait pas à être surpris en train d'écrire, montre-moi ça, petit con, montre à papa ta langue de pute. Il jeta des notes, ratura, récrivit les mêmes, se jura de ne plus changer de page à chaque rature, de ne plus jamais raturer, de ne plus séparer les mots par des intervalles à dormir debout. Il arracha la dernière feuille et partit chercher sous le sommier son cahier privé. Il n'avait plus qu'un stylo dans son bol, une autonomie de vingt-huit feuillets. L'heure tournait, faisait des ronds, des carrés, des trous. *Monsieur, Une drague opérée par les douanes sur l'étang de Berre a fait remonter les débris d'une vedette à moteur ayant appartenu à Madame Nelly Collinet.* Il effaça. Il ne voulait rien savoir. La vérité quand elle était vraie, quand elle ne tombait pas du ciel avec Fontenelle et les météores, quand elle partait à moto sous la neige et l'abandonnait dans un lit désert, la vérité vive était la dernière chose qu'il voulût connaître sur terre. Il noya cette horreur sous un demi-litre d'encre. Se cherchant un nouvel élan, il attrapa le dictionnaire des citations : S'*il m'en souvient, il ne m'en souvient guère.* À gerber ! D'ailleurs il se souvenait. Il allait briser son stylo quand une phrase roula sous la bille, et qu'une phrase en appelant une autre il pondit allégrement dix-sept feuillets, il ouvrit la main comme une huître dans son élément, il parla, démontra, conclut, et manqua d'encre à l'instant d'écrire les trois mots de la fin. De toute manière il ne les aurait pas écrits, ces trois derniers mots. Même inachevée, la disserte méritait vingt. Au stylo rouge il marqua 20, *devoir parfait.*

Dehors il faisait noir. Excepté la dynamo du barrage, il n'y avait aucun bruit sur la rivière, aucun rire ou voix portés par le fil de l'eau. Il était dix heures et Pierre relisait sa dissertation pour l'imprimer. À dix heures et quart, il se résigna à supprimer la première phrase. La deuxième perdit tout sens, il la supprima vers dix heures et demie. Il se servait d'un gros feutre vert à pointe conique arrondie. Il supprima la troisième automatiquement, sans l'avoir relue. À minuit moins dix, il ne restait plus rien de la dissertation, pas un traître mot. Il se sentait soulagé. C'est alors qu'il entendit marcher en bas.

XVIII

Pierre clopinait derrière le petit sur le sentier de la plage. Un arc-en-ciel noir couvrait la lune, il avait du mal à suivre, hé moins vite. Le petit le laissait un moment s'appuyer sur son épaule et souffler. De sa voix chantante il disait gentiment qu'il fallait avancer. On ne pouvait pas faire attendre les autres. Gun allait s'énerver et ça chierait, on y était presque. Ça va, répétait Pierre ébloui par la douleur, ça va mieux, on continue. Il souffrait toujours mais la peur qui le tenaillait à l'infirmerie avait disparu. Depuis un instant il savait à quoi s'en tenir. Il s'était penché sur son histoire à la manière d'un sorcier triturant des braises. Il avait osé regarder ses doigts brûlés. Il était retourné dans cette maison inquiète où, certains jours, il faisait semblant d'être heureux. C'était bien lui, ces nuits, ces cris, ces traces de pneus, cette neige fondue, ce flacon de shampooing, ces œillets blancs, cette voix fatiguée, ces funèbres gâteaux d'anniversaire, ce rhum et ces pleurnicheries, cette comédie jour après jour, cet homme obscur qu'il appelait son père. Où était l'enfant qui protégeait l'ombre de sa mère et se croyait protégé par elle ? Où l'enfant qui gravait les seins de Laura sur la table et caressait le ventre d'Ismène, doux comme l'ivoire ? En prison. Dans quelques minutes il serait un cobaye, un criminel rêvant d'un hydravion blanc.

Et tout en suivant le petit dont les savates projetaient du sable, il pensait que l'heure était venue de s'arracher au guet-apens familial. Il sentait la brise de mer, il voyait monter les volutes blanches du feu sur la plage. Il était impatient d'y être, impatient de parler dans le cercle où, chaque nuit, rappliquaient les cobayes avec l'espoir d'une impossible évasion.

Il refusa de s'asseoir. Ignorant les flammes, le bidon d'essence, le chapeau de Gun, le silence menaçant qui planait, Pierre regarda ces petits animaux humains prêts à l'écouter, l'applaudir, le conspuer à la romaine, prêts à planter leur pouce dans le sable et à finir la nuit en injuriant ses cendres. Ils attendaient. Une fantasmagorie d'ombres ramifiées que la lumière tourmentait, révélant des yeux, des mains, des dentitions. Il retint son souffle et, pour la dernière fois, dans un élan du cœur qui n'était pas de la pitié, mais quand même le regret d'une jeunesse dévastée, il revit ce Pierre auquel il devait dire à plus tard et peut-être adieu.

– Salut, commença-t-il, et portant son attention sur la ligne continue des regards fixés sur lui, il entra dans cette histoire qui deviendrait sa légende à Désertas.

– J'ai tué un homme, en le faisant j'ai trouvé ça tout naturel. Vous êtes les premiers à qui j'en parle et j'en connais beaucoup qui saliveraient d'être à vos places. Les avocats, les flics, ils se croyaient aux premières loges, eux aussi. Ils guettaient le début du spectacle, ils me menaçaient, tu vas déguster, attends voir la juge...

La juge des libertés se casserait le nez en voulant remettre à l'heure les pendules affolées d'un week-end dont Pierre, apparemment, ne se souvenait pas. Elle se heurterait à la douceur des grands yeux marron, à cette voix sourde encore amenuisée par la sensation du malheur et qui dirait sans forfanterie, comme un oiseau répétant son cri pour rester oiseau : Je plaisante... Elle se heurterait au chagrin sans larmes d'un garçon dressé à ravaler jusqu'à son nom.

En son âme et conscience elle instruisit un dossier qu'elle aurait aimé ne jamais avoir entre les mains. Le psychiatre lui parla de *neurula*, stade où l'embryon commence à former son système nerveux. On notait chez Pierre un penchant manifeste à laisser en suspens les questions posées. Ce trait figurait déjà sur ses premiers bulletins scolaires. Les témoins défilèrent. Un après-midi, la juge écouta la déposition spontanée d'une élève de cinquième au regard effaré. Elle venait seulement dire que Pierre était gentil.

Chaque matin, la juge recevait un mot qu'elle transmettait pour analyse au laboratoire de criminologie. Dans un français châtié, Pierre formait le souhait aberrant de voir son père et de s'expliquer en sa présence, ils n'avaient rien à cacher. Il s'étonnait d'avoir encore une fois à réclamer son cahier de cours, il en avait un besoin urgent pour finir sa dissertation.

On attendait beaucoup des feuillets raturés saisis dans sa chambre. On ne doutait pas d'exhumer les mots effacés, intacts sous la pellicule de feutre vert, mais la pièce à conviction revint non déchiffrée du laboratoire. Une réaction chimique avait altéré par diffusion l'alcool de la bille et celui du feutre. Hormis la phrase de Fontenelle il n'y avait rien à lire, et le papier n'avait subi aucune empreinte. On envoya sa table au labo, la planche d'Isorel tapissée de mille inquiétudes figurées par des signes. On en tira mille conclusions. Un an s'écoula. Le procès se tint. La salle d'audience était remplie. On prêta serment. Le sort de l'adolescent fut réglé. Pierre n'avait desserré les dents que pour plaisanter. Il écouta sans broncher les dix-huit ans du verdict, puis on le vit compter sur ses doigts. Dehors, il sourit à Laura.

Celle-ci n'eut pas vu se refermer sur lui la porte grillagée du fourgon qu'elle voulut la rouvrir. Des années plus tard, dans les mêmes dispositions, elle patientait au pied d'un mur invisible, un rempart administratif au-delà duquel un Pierre invisible avait perdu la notion des lendemains.

C'était Laura qui avait amené Pierre à la gendarmerie pour qu'il se livre. Le lundi soir, ne l'ayant pas vu au lycée, elle avait eu l'un de ses pressentiments exaltés qui l'assaillaient la nuit, la réveillaient dans l'obligation d'agir sur-le-champ. Elle passa un jean et descendit à la rivière. Elle trouva le décor inchangé, l'immuable 4 × 4 sous les feuilles noires du mûrier, la maison de profil entre les tilleuls embaumés, cette lumière à l'étage qui semblait brûler pour la nuit des temps.

Il était deux heures du matin. Le parfum des tilleuls arrivait sur elle avec la régularité d'un souffle. Une belle nuit d'été douce et bleue. Cessant d'arpenter la route, elle enjamba le muret pour s'approcher de la maison. Elle trouva la porte ouverte, on voyait l'ombre pâle de l'évier, la toile cirée sur la table, l'escalier, le reflet d'une fenêtre au loin. Elle entra sans hésiter, entraînée par une intuition panique vers cette lueur qui baignait les marches. Elle monta ce colimaçon que trois personnes avant elle avaient monté. Elle déboucha dans une pièce mansardée. C'était désert, comme abandonné précipitamment. L'étoile dorée d'un vieux Noël pendait au bout d'un fil accroché à une poutre; une lampe rouge éclairait un fatras répandu par terre : papiers chiffonnés, céréales, stylos bille, livres, douilles de fusil, vêtements en boule. L'air picotait les sinus. Les genoux tremblants, elle traversa la chambre jusqu'à la table et lut son propre nom calligraphié sur la couverture d'un grand cahier. Elle souleva ce qui restait de la photo de Nelly, juste le cadre argenté se détachant contre le mur fusillé de plombs à côté d'un polaroïd. Elle essayait de garder la tête froide. Elle n'avait rien à faire ici. Pierre et Marc se promenaient. Ils allaient rentrer. Ou elle filait dare-dare ou elle finissait la nuit chez les flics. Son cœur battait violemment à la vue des douilles percutées. Chaque fois qu'elle voulait partir, elle avait la vision d'un bon élève en train d'écrire, abattu dans le dos par son père. Elle regardait les taches d'encre qui maculaient la table, elle persistait à les voir rouges, elle se sermonnait à voix haute, il y aurait du sang partout...

Elle se tourna vers la chambre plongée dans l'obscurité. Un lieu presque familier. Nelly lui avait raconté les nuits avec en bas l'homme frustré qui se prenait pour son gardien, qui montait vérifier à chaque instant si tout allait bien, s'ils n'avaient besoin de rien, elle et son petit corps. Ses yeux s'habituant à l'ombre elle reconnut la panse d'une baignoire à l'ancienne et ses cheveux se dressèrent. Elle n'était pas seule. Elle distinguait une silhouette immobile, quelqu'un l'épiait. « Ho », gémit-elle, et sans réfléchir elle s'élança. À tâtonner fébrilement le long des murs elle finit par trouver un commutateur sous le miroir du lavabo ; trois ampoules s'allumèrent. Tout habillé dans la baignoire, tondu, le teint cireux, les lèvres jointes avec solennité, Pierre fixait des yeux l'infini. Un fusil gisait au fond de l'eau. Elle pensa qu'il était mort quand ses longs doigts frémirent sur le stylo qu'il tenait contre sa poitrine.

– Pierre.

Elle redit son nom plusieurs fois sans qu'il parût l'entendre. Elle posa la main sur son bras et il eut la chair de poule. « Depuis combien de temps tu es là-dedans ? Où est ton père ? »

Ses mains tournicotaient le stylo, veillant à ne pas le mouiller. Et subitement il desserra les lèvres pour soupirer :

– J'ai pas fini ma disserte...

– Où est ton père ?

– ... et je vais la finir. Une heure au plus. Question d'intelligence.

– Où est-il ? s'écria Laura en le secouant, et Pierre fronça les sourcils.

– C'est à lui qu'il faut poser la question, moi j'ai du boulot.

Il se cramponnait aux rebords émaillés, il cherchait maintenant à se lever.

Durant quelques secondes, la réponse rassura Laura. Elle aida cette espèce de noyé à sortir de l'eau. Elle avait été bien inspirée de venir. Elle attendrait Marc le temps qu'il faudrait. Il ne couperait pas au rapport, cette fois, ni son fils au signalement. Pierre se tenait debout à la manière du bébé qui découvre la station verticale avec un ravissement inquiet. Laura l'entourait de son bras, la main passée sous l'aisselle, il la prenait par la taille et tout en la guidant vers la table il semblait vouloir danser. Il s'effondra ruisselant sur le tabouret.

– Où est ton père ?

Il fit pivoter son tabouret et dit faiblement : « motus ». Il le répéta d'une voix bizarre en imitant quelqu'un, c'était si menaçant qu'elle en frissonna. Pierre ouvrait maintenant un cahier. Il sentait les yeux de Laura posés sur lui et le gagner ce tremblement qui rendait son écriture illisible.

– Tes mains, Pierre.

Il s'empara du stylo, le brandit comme une arme et l'écrasa sur la table.

Il a les mains qui tremblent, il le sait mieux que personne et Marc le lui a déjà dit hier soir en revenant d'Espagne ou de n'importe où. Tes mains, Pierre... Il avait répondu : C'est tout ce que tu as à me dire ? Moins naze, il aurait sans doute remarqué que son père non plus n'était pas très frais. Il aurait trouvé sidérant de n'entendre aucune question sur les douilles cramées.

– Tu as fini ta disserte ?

– Ça fait deux jours. Je l'ai déjà portée au lycée. La dirlo veut la publier dans le journal interne. En la lisant tu comprendras pourquoi.

Il ne savait quel mensonge inventer pour émerveiller son père. Il n'était plus seul. Le week-end était fini. Il pouvait oublier les œillets malades et le lugubre clapotis des papillons.

– Tu veux me la montrer ?

– Je ne l'ai plus.

– Le brouillon ?

– J'en ai pas fait. C'était un sujet idiot. Tu commences et tu n'arrêtes plus.

S'il avait pu se douter qu'il voudrait la lire, il aurait gardé un double. Il allait la récrire de tête, il ne manquerait pas une virgule. Et gagné par l'euphorie Pierre cherchait une phrase qui traduirait exactement le bonheur d'être son fils. Déjà ses mains tremblaient moins. T'as vu ? Il tendit les bras. Il s'appuyait au mur du bout des doigts.

– C'est grâce à toi si j'y suis arrivé.

– Tant mieux, fiston. Tu as dû faire du bon boulot.

L'air de dire avec le bordel que tu as semé, ça m'étonnerait.

– Qu'est-ce que tu as fait à tes cheveux ?

– J'avais trop chaud. La cicatrice me démangeait.

La main de Marc passa rapidement sur ses cheveux en brosse et descendit feuilleter les dix-sept pages barrées ligne à ligne et rebarrées en diagonale. « Drôle de sujet », dit-il en lisant la phrase de Fontenelle, et il recula pour donner un vague coup de pied dans le chambard de feuilles éparpillées.

– Laisse tomber, fiston. Tu la feras demain matin avant de partir au lycée. On n'aura qu'à se lever tôt, je t'aiderai. J'ai faim.

Les derniers clients partaient quand ils arrivèrent à la Galiote, seul restaurant ouvert après minuit. Ils s'attablèrent devant le camion dans un beau ciel noir transparent comme du gel. La brise faisait bouger les franges du parasol et berçait les bruits gommés d'une fête lointaine. Une petite chanson tournait sur le comptoir et, le repas fini, elle tournait encore et toujours au rythme des néons bleus sur le toit.

Drogué d'insomnie, Pierre fredonnait. Il avait grignoté des frites et maintenant il s'ennuyait. Devant lui Marc prenait son temps. Il en était à sa deuxième assiette garnie, les bières se succédaient. Ils n'étaient très causants ni l'un ni l'autre.

– Je reviens.

T'en fais pas, se dit Pierre en lui-même, regardant son père disparaître derrière le camion. Il se sentait léger, rassuré. Il y a des moments où l'on se balance au-dessus du vide uniquement retenu par quelques mots simples et gentillets. La ferrailleuse apporta du pain. Elle souriait à Pierre, aux étoiles. Elle fredonnait aussi. Elle aimait tellement cette chanson qu'elle aurait pu la danser avec le premier venu sur le terre-plein dans la poussière au milieu des chats, t'en fais pas. À se demander si quelques mots tout doux au vent d'un accordéon, la nuit, ne font pas frissonner dans la main la seule vérité qui vaille la peine.

– On n'est pas les plus malheureux, dit Marc à son retour.

Pierre se leva. La ferrailleuse avait dans les cinquante balais, vous ne voulez pas danser, madame ? Qu'est-ce que tu fous ? dit Marc en riant. Eh bien tu vois, je danse avec la patronne, et comme il l'avait supposé elle avait des fourmis dans les jambes, un piétinement léger d'enfant, ils tournaient joyeusement devant le camion qui jetait ses reflets bleus. Un couple d'enfer, dit Marc en orientant son fauteuil vers eux et il but à leur santé, puis, sans grande raison rythmique il se mit à taper dans ses mains, *t'en fais pas*. La musique s'arrêta un instant et d'elle-même se remit à tourner, Pierre avait cédé sa cavalière à Marc, c'était la première fois qu'il voyait son père dans les bras d'une femme, Marc se laissait bercer jusqu'au trottoir et ramener dans le halo lumineux du camion où la vie tenait en quelques mots, il regardait son fils, à moi lança Pierre, *c'est la vie*.

Ils furent assis l'un en face de l'autre, essoufflés, la ferrailleuse leur porta deux bières. Ils trinquèrent à la bière, aux ferrailleuses, aux étoiles, chacun dans son monde.

– Ça ne va pas très fort, fiston... Comment dire ? Je n'étais pas en Espagne.

– Je m'en fous.

– J'ai passé le week-end à l'hosto. Tu ne veux pas un petit rhum ?

En guise de réponse, Pierre remplit son verre d'eau.

– Alors je boirai seul, dit Marc un peu déçu. Non fiston, pas fort du tout, il faut que je te parle. Et se penchant vers son fils il posa sa main sur la sienne, insistant pour qu'il prenne un alcool.

– Si tu veux, dit Pierre, et Marc attendit qu'il en ait bu plusieurs pour se détendre, sans voir qu'il vidait les verres entre ses jambes.

Derrière le comptoir la ferrailleuse buvait à la paille un Fanta orange et souriait toute seule.

– Écoute-moi fiston, c'est pas facile à dire. Autrefois tu m'aurais demandé où j'étais encore passé, tu m'aurais reproché de voir ta mère sans toi, de te laisser toujours à l'écart, tu m'aurais fait répéter chacun des mots qu'elle avait dits jusqu'à ce que je t'envoie balader. Tu n'es plus le même.

– Excuse-moi, soupira Pierre en montrant son verre vide à la ferrailleuse, et il fut malheureux, piégé, dépassé par des événements anciens pour lesquels il avait déjà donné sa vie. Regardant son père il le trouva vieux. Qu'est-ce qu'il avait encore inventé ?

– Et alors, ma mère ?

– Accident de moto, fit Marc d'une voix sans timbre.

Après un instant Pierre se mit à rire et sans prendre garde il but son rhum.

– On n'a qu'à l'enterrer avec le soldat inconnu, soupira-t-il. Allez paye, on se tire.

Marc dérobait dans l'ombre un profil crispé. Pierre se pencha vers lui :

– Ça va pas sac à vin ? J'ai trouvé dans ton pieu la lettre des douanes, je sais tout.

– Tu sais quoi ?

– Je sais qu'elle est morte hier dans tes bras.

– Et à part ça?

– Plein de trucs, dit Pierre en quittant la table. À mon avis je les ai toujours sus.

Il s'étonnait que des mots pareils puissent être prononcés. Ils n'avaient aucun sens et cependant il les avait toujours eus sur le bout de la langue et par tout le corps, on y va sac à vinasse, enfoiré, fumier.

– Allez papa, viens, je suis fatigué, et dans sa tête il entendait : salaud, menteur.

Sans le lâcher des yeux, Marc tira d'une poche une liasse de billets qu'il jeta sur la table.

– J'ai payé. C'est tout?

– C'est tout! Je suis au courant pour la vedette, pour l'incendie, pour l'étang. Ça suffit largement, j'te jure, pas la peine d'en rajouter.

C'est en vain qu'il cherchait à siffloter la chanson qui tournait toujours. Dans une clarté brumeuse, il voyait la ferrailleuse ouvrir les bras derrière le comptoir, prête encore à danser et voyager un petit coup, mais il ne pensait plus qu'à prendre la fuite. Un jour il aurait tout loisir de regretter. Il aurait les interminables nuits d'une île sans nom réel pour grincer des dents, revivre différemment la minute où sa vie chavira, pour enlever dans ses bras une ferrailleuse d'âge mûr et l'emmener tourner dans la lumière assagie du matin naissant.

– Rassieds-toi.

– J' veux rien savoir, gémit Pierre en s'éloignant et le sol frémit sous ses pieds, il faillit partir la tête en avant.

D'un pas chancelant il fit le tour du camion, la musique arrivait assourdie, t'en fais pas. Derrière il y avait des bouteilles de gaz, des bidons d'huile, des cageots accumulés sous un grillage aux trous béants, le paradis des buveurs de bière. Et devant c'était les collines.

Il se tenait à deux mains au grillage quand il entendit un pas.

– Tu m'espionnes, dit-il sourdemment. Et comme tous les buveurs de bière il s'accrochait aux étoiles et cherchait leur nom qu'il n'avait jamais appris, Cassiopée, Véga, Regulus, la chanson virevoltait au milieu des astres, il ne la supportait plus.

– Hé fiston, dit Marc en s'approchant. Qu'est-ce que tu racontes avec ton histoire d'étang ? On était comme deux tourtereaux sur l'étang. On s'aimait pour la vie ta mère et moi. Et sans ton conard de père on s'aimerait encore.

Il lui posa la main sur l'épaule et Pierre se dégagea.

– Lâche-moi, sac à vin. Je rentre pas avec toi.

– D'ailleurs c'était pas un étang, fiston, ni la même époque, on t'a menti. C'était là-bas, juste en face...

Avant qu'il ait achevé sa phrase Pierre se retournait et lui sautait à la gorge, un bond de félin squelettique, les nerfs à fleur de peau. Marc tomba sur le dos. Je me suis cogné, pensa-t-il, c'est la vie, lâche-moi fiston. Pierre était couché sur lui, les doigts autour de son cou, et la joue contre la sienne il répétait sourdement : ferme-la, papa, ferme-la, serrant tant qu'il pouvait pour n'entendre pas plus qu'un gargouillis, qu'un râle sans voix, serrant pour ne plus rien entendre. Et Marc les yeux déjà fermés se demandait s'il avait fini sa phrase ou non, s'il avait eu le temps d'aller au bout des mots qu'il voulait dire, on est bien tous les deux, on est pareils toi et moi, fiston, comme elle disait on vit en osmose. C'est quoi ? C'est quand on s'aime et qu'on se fait mal à tout petit feu. Faut faire gaffe avec les tout petits feux, ta mère le savait bien, ta mère... Elle a dans les oreilles un sifflement qui n'est pas celui des flocons, elle ne peut pas faire un mouvement ni crier, respirer lui soulève le cœur. Elle est un peu triste. Elle vit encore pour quelques instants qui s'éternisent au fond d'un gouffre sans lumière. La neige, les œillets blancs, elle oublie déjà. Comme on oublie vite à la fin. Ton petit corps, Nelly.

Cet ouvrage a été réalisé par la
SOCIÉTÉ NOUVELLE FIRMIN-DIDOT
Mesnil-sur-l'Estrée
pour le compte des Éditions Robert Laffont
24, avenue Marceau, 75008 Paris
en juin 2000

Dépôt légal : juillet 2000
N° d'édition : 40471/01 – N° d'impression : 51551

Imprimé en France